23 南宋
西元1127～1276年
[注音本]

全新 吳姐姐講歷史故事

吳涵碧◎著

目錄

【第507篇】岳家軍大破拐子馬。

紹興八年，宋金雙方達成和議，秦檜是十二萬分的得意，擅長於拍馬者，甚且贈送一個『太平翁』的美名給他，可惜天下太平不到兩年，和議突然又被全面推翻。

原來，當初和議的達成，在宋朝方面是秦檜王倫主其事，在金朝，撻懶則爲核心人物。金熙宗天眷二年，金朝發生政變，金兀朮入朝，奏稱撻懶叛國，勾結宋人，擅自割讓河南陝西之地，要求誅殺撻懶以謝國人。後來，撻懶果然被追殺於祁州。

撻懶既死，金兀朮控制金朝軍國大權，立刻揮兵，大舉親征，分道南侵，一時之間，過去被劉豫統治，而爲宋人收復的州鎮又紛紛地陷落。

但是，金兀朮到了順昌（今安徽阜陽）卻遇到了剋星，東京副留守劉錡原是西北名將，聲如洪鐘，勇敢而擅長於騎射，劉錡聽說金人敗盟，兀朮兵馬接近順昌，立刻命令全民動員，男人備戰守，婦人磨刀劍，同仇敵愾。

不久，金兀朮的先鋒部隊開來，劉錡募得五百名敢死隊，乘著電光四起，夜襲金營，金兵大亂潰敗，一連退了十五里。

金兀朮聽說前方兵敗，十分震驚，他騎著快馬，迅速地繞了順昌一圈，

只見順昌又小又破，簡陋得很，不禁失聲笑道：『劉錡小子，膽敢與我作戰，以我的兵力，只要一靴尖便可踢倒。』隨即下令攻城，向潁水前進。

劉錡先在潁水中下毒，時值盛夏，金兵遠來又累又渴，人馬飲水中毒，又吐又瀉，一塌糊塗，等到正式作戰時，兀朮的三千甲兵手脚發軟，潰不成軍。金兀朮的靴尖顯然無用，他十分憤怒地退還汴京，到了七月，金兀朮又遭到了郾城之敗。

當初，宋金和議之時，岳飛曾上書：『金人絕不可信，和議絕不可恃。』高宗根本不搭理，等到金人叛盟入寇，高宗想起岳飛的忠勇，又急急寫信給岳飛：『你趕快想想辦法來抵擋吧。』

岳飛立刻派遣王貴、牛臯、董先、楊再興分頭前進，然後自率所部，長驅北進。一時之間，收復了河南許多州縣，中原爲之大震，高宗特授岳飛少保，河南北諸路招討使。

紹興十年七月，岳飛自率輕騎進駐郾城（今河南郾城）。金兀朮率領著龍虎大王、蓋天大王揮動著鐵塔兵、拐子馬直撲郾城。鐵塔兵又稱『鐵浮圖』，士兵身上穿戴著鐵盔鐵甲，刀槍不入，屹立於陣前，簡直像是一尊鐵塔；拐子馬又名爲『連環馬』，三匹馬連在一起，一鞭揮去，三馬同馳，直陷敵陣。金兀朮所向無敵，全靠這兩樣武器。

岳家軍之中最強的是背嵬軍（即驍勇善戰的親兵）及游奕馬車（巡邏騎兵），岳飛派出兒子岳雲首當其衝，並且正色告誡：『如果不能取勝，我先殺了你！』岳雲使用兩柄銀錘，衝入鐵塔陣中。他再命令楊再興率領步兵，每人手執麻扎刀與大斧，上砍人身，下剁馬足，連環馬原三馬相聯，身披重鎧，受過特別訓練的馬隊，一起行進就像一堵又一堵的牆，勇不可當，但是岳飛命令步兵，入陣不要仰視，專砍馬腿，一匹馬受了傷，其餘兩匹也不能動了，滿地都是痛苦仰翻著，大聲嘶叫的馬匹。

這一仗打下來，金兀朮的鐵塔兵與拐子馬全部被消滅，兩樣利器同時壽終正寢，向來號稱硬漢的金兀朮也放聲大哭：『我大金自海上起兵以來，打勝仗全靠鐵塔兵與拐子馬，想不到今天遇到岳飛，竟然破了我的法寶，完了……完了……』

岳飛乘勝追擊，會合太行山及兩河豪傑，連敗金人於垣曲、沁水，地方上的父老兄弟，個個挽著車，拉著牛，忙著給忠義民兵送糧食，凡是頂著『岳』旗前來者，無不受到最殷勤的款待，而且家家戶戶頂盆燒香，熱誠迎接。金兀朮因戰爭失利，想要遷調地方軍隊，不料，號令竟然不行，民間居然有膽子不睬金人命令，金兀朮嘆著氣道：『我自起兵以來，從未有像現在這般失意，大勢去矣。』

從此，金兀朮兵敗如山倒，宋朝人開心極了，眼看著漫漫長夜即將過去，光明即將到來，汴京城內傳出各種流言，有人說岳元帥大兵已經到了城外，也有人說四太子金兀朮脚底抹油，溜了！反正都是大快人心的消息，人人都在起勁地高談闊論。

由於岳飛勢如中天，金軍之中一部分漢將如王鎮、崔虎、葉旺都紛紛率部來歸，甚且連金兀朮大本營中的主帥，也迫於情勢對下屬宣佈：『你們不可輕舉妄動，等到時機成熟了，我與你們一塊兒歸順岳家軍。』

金兀朮在風聲鶴唳，四面楚歌的情勢下，決定背水一戰，衝破朱仙鎮，保衛汴京（朱仙鎮距汴京僅有四十五里），他雖親自督戰，無奈士氣已竭，被殺得落花流水，自認不敵：『撼山易，撼岳家軍難！』他決定放棄汴京，把黃河以南，拱手還給宋朝了。

『靖康之恥』就快要雪清了，岳飛興奮，將領興奮，全國百姓更是興奮，岳飛對諸將說：『讓我們直搗黃龍，飲一個痛快！』

不料此刻，突然發生一個意外。

閱讀心得

【第508篇】

十二道金牌。

朱仙鎮一仗，岳飛勢如破竹，中原人心大振，眼看著，靖康之恥就快要洗刷了，從頭收拾舊河山的時候就要到了，金兀朮垂頭喪氣，只好準備離開汴京。

忽然，有一個太學生攔住金兀朮的馬頭，用萬分肯定的口吻對金兀朮說：『四太子不必走，汴京可以保住，岳少保馬上就要退兵了。』

『岳飛用五百精兵就可以破我十萬大軍，京師百姓日日夜夜盼望岳家軍，民心已去，何謂可守？』

『不然。』太學生解説道：『自古以來，從未有權臣在內，而大將在外立功的，岳飛馬上就要大禍臨頭了，哪兒還能妄想成功呢？』

金兀朮被這個無恥的太學生一點，茅塞頓開，滿天烏雲一掃而空。

正如這個太學生所料，岳飛一封又一封的捷報把高宗與秦檜嚇得跳腳，萬一岳飛眞的直搗黃龍，高宗只有把皇帝寶座奉還老兄，秦檜的相位也不保了。因此，秦檜命令御史羅汝揖奏上一本，以『兵微將寡，民困國乏，岳飛深入，危殆萬分』爲名，下詔岳飛即日班師。

岳飛正準備進兵汴京，忽然收到一道莫名其妙、毫無道理的『退兵』聖旨，錯愕吃驚之餘，立即上奏：『金人銳氣沮喪，盡棄輜重，疾走渡河，

御筆
精忠岳飛

而我豪傑向心，士卒用命，時不再來，機勿輕失！』秦檜見岳飛不肯服從命令，先命令韓世忠、張俊、楊沂中、劉錡各返防區，而且嚴厲命令秦、隴、四川將領不得輕舉妄動，然後奏稱：『岳飛孤軍不可久留。』於是，在一天之內，連下十二道金牌，非把岳飛立刻召回來不可。

金牌是木牌上寫著金字，爲傳遞皇帝命令的一個憑證。當時的郵驛制度，除了青字牌的馬遞，紅字牌的步遞之外，還有一個傳遞最緊急公文的急遞鋪，傳遞的人騎著快馬，一天走五百里，身上掛著鈴鐺，一路鈴鈴鈴地奔馳向前，前一站的鋪長聽到了鈴聲，就趕快騎上千里馬去迎接，就像跑大隊接力一般。

秦檜一個時辰發一道金牌，用意非常顯明，他要岳飛知道事態嚴重，別想用『將在外君命有所不受』置之不理，金牌一道道發下，砂金的字在陽光下光亮耀眼，路人望見莫不急急避路，讓快馬通過，除非軍機重大之事，一向少用金牌的。

岳飛看著十二道金牌，心臟緊緊縮成一團，男兒有淚不輕彈，此時此刻，再也忍不住熱淚滿面了，他嗟嘆惋惜，痛心無比，向東行禮哭道：『臣十年之力，毀於一旦，唉——』

河南的百姓聽說岳將軍撤軍，先是不敢相信這個『謠言』，等大家發現不是開玩笑，岳家軍眞的在連戰皆勝之後，被逼退軍，成千上萬的民衆擁在岳家軍的轅門外，哭著、鬧著，哀哀乞求岳飛千萬不要走。

到了退兵的那一天，父老們攔住岳飛的馬頭，一起俯伏在地上說：『我們都曾經頂香盆，車載糧秣，迎接官軍，現在王師南撤，我們還有好日子過嗎？現在疆土次第收復，你爲什麼忽然要放棄？』

岳飛也忍不住淚漣漣道：『我也不願意走，但聖命難違。』說著，他把詔書拿出來給大家看。群衆不得不相信皇帝確實頒發了如此荒唐的詔命，忍不住又開始嚎啕大哭。

千萬人的哭聲，震天動地，岳飛不得已，想出一個退而求其次的辦法：『這樣吧，漢上六郡還有閒田，我留下來五天，你們願意跟我走的人，就遷到那邊去吧！』幾乎家家戶戶都願意隨軍南遷，一直到現在，襄漢一帶仍有許多當時移民的後代。

岳飛奉命還師以後，原來已經收復的地方，自然又先後失去，高宗又急召岳飛馳援淮西，這段期間，岳飛因爲受到十二道金牌的打擊，心情鬱悶，得了重感冒，咳嗽得很嚴重，卻還是勉強出兵。高宗前前後後曾經寫了十五封親筆信給岳飛，但是由於路途遙遠，詔命與奏報都錯開了幾天。後來，秦檜就利用這一點，誣賴岳飛得到高宗的命令，卻不立刻發兵，有擁兵逗留之謀反意圖。

淮西之戰以後，高宗命令岳飛調回軍馬，自帶親隨入朝，不但岳飛，連韓世忠、張俊同時奉詔速赴臨安（杭州），表面上的理由是淮西大捷，論功行賞，骨子裡的原因是解除他們的軍權，然後才可以進行和議。

金兀朮自從吃了岳飛的虧，深深了解，宋朝不易征服，軍事前途未必樂觀。宋高宗與秦檜除了擔心岳飛勝利，皇位勢必拱手讓人之外，還有一個理由，宋朝開國之初即定下重文輕武的國策，嚴防軍人跋扈，深恐養成五代時期驕兵悍將的局面，朝廷駕馭不住。

紹興十年四月，韓世忠、張俊被任命爲樞密使，岳飛被任命爲副樞密使，三人都內調入朝，既然當了中央官，人就逗留在京師，地方上的軍隊，不能再由自己指揮了。事實上，樞密院是無事可做的，岳飛與韓世忠只得換上了寬袍大袖的官服，戴上一字巾，騎著小驢，遊山玩水，或者泛舟西湖，濯足釣魚，景色雖然宜人，他二人的心情卻有如鉛塊一般地沉重。

閱讀心得

【第509篇】

張憲與岳雲的冤獄。

岳飛連戰皆捷，宋高宗與秦檜擔心他直搗黃龍，用十二金牌逼岳飛退兵。不久，朝廷任命韓世忠、張俊爲樞密使，岳飛爲副樞密使，把三大將都留在京師。

岳飛、韓世忠雖然解除了兵柄，但是，軍隊歸樞密院掌管，還有，他們的子弟對主帥都是忠心耿耿，留著總是禍害，秦檜有意找個理由把他們搞垮。至於張俊，秦檜倒不擔心，張俊多慾，早被秦檜收買。

岳飛是後起之秀，青年才俊，張俊早就看他不順眼，淮西之役，張俊不顧大體，用缺乏糧草的理由阻攔岳飛，岳飛懶得計較，仍然進兵。後來，高宗嘉獎岳飛的賜札褒諭之中有一句：『轉餉艱阻，卿不復顧』，意思是說岳飛不顧轉運糧餉困難之意。張俊作賊心虛，十分惱怒岳飛。

這一回，秦檜想先拿韓世忠開刀，把老大哥的兵權解除，再對付岳飛。於是，紹興十一年五月，高宗下詔，命令岳飛會同張俊，一起到楚州安置韓世忠的部隊。

張俊對岳飛說：『這下子可好，皇上留住世忠，派你我二人去，就是要把他的軍隊分給我們，也免得他將來謀反。』

『這怎麼可以？』岳飛立刻駁斥張俊：『國家所依賴的，就是我們幾

個，韓樞密是國家的柱石，他絕無擁兵自重之意，皇上也未必對他猜疑，你如果假公濟私，分了韓樞密之兵，以後我們拿什麼臉去見他？』

張俊被岳飛一番搶白，訥訥地說不出話來，他一向討厭岳飛正氣凜然的模樣，現在更是一肚子的火。回到杭州以後，張俊就向秦檜猛吐苦水，埋怨岳飛自大驕傲，不肯合作。

岳飛眼見朝廷毫無是非可言，高宗遠賢臣，親小人，自己空掛著副樞密使的職位，沒有一點意思，榮華富貴從來不是岳飛所嚮往的。所以，他上疏請辭副樞密使，返回廬山（江西省九江市），依傍著母親的廬墓，過著還我初服的日子。

岳飛準備自此不再過問世事，但是，秦檜可不會放過他，尤其金兀朮在金朝皇統元年（即紹興十一年）十二月曾經寫了一封信給秦檜，信中講得很清楚：『爾朝夕以和請，而岳飛方爲河北圖，必殺岳飛，而後可和。』除非岳飛先死，否則，一切免談。看來，秦檜是非拔除這個眼中釘不可了。

秦檜、張俊先去收買岳飛的部下，開出極高的價格，誘惑岳飛的屬下出來告發岳飛，但是，沒有一個願意爲錢出賣他們崇拜的長官。

張俊聽說王貴過去曾經差一點被岳飛處死，而且還挨過好幾回軍棍，想來一定懷恨在心，於是張俊去找王貴商量。

沒想到王貴一口拒絕了，並且說：『岳統帥爲了維持軍紀，不得不如此，你不提，我早忘了。』

『你最好不要忘，我手上可是握有你犯罪的證據。』張俊陰險地笑著。

王貴搶過證據一看，當場急得臉色慘白。原來，他在酒後做過一件不道德的事，被人告發，落在張俊手中，至於王貴到底幹了什麼缺德的私事，史書上並沒有記載，總之，王貴被張俊抓住了把柄，只有乖乖聽命。

接著，張俊又找到了王俊擔任誣告的主角。

王俊是何許人也？他原是范瓊被處死之後，撥到岳家軍旗下，此人專門興風作浪，挑撥是非，是個十足的小人。岳飛屢次有意重重處罰王俊，他懷恨在心，同時，岳家軍中的副帥張憲，一向帶兵嚴格，王俊也頗爲不滿，張俊就利用了王俊報復的心理，安排了一著毒計。

王俊謊稱張憲準備佔據襄陽府叛變，王俊自己也是叛變中的一員，現在幡然悔悟，向王貴自首，王貴有小辮子捏在人家手中，不得不把自首狀上報到樞密院，這下就落到了樞密使張俊手中。案情升高，張俊親自審問張憲。

『張憲，你不是收到了岳雲的信，要你反叛朝廷嗎？你趕快老老實實招出來。』

張憲一頭霧水，他根本沒接過岳雲任何信，大聲地反問：『請問，岳雲的信在哪裡？』

『岳雲的信是給你，要你起兵，讓岳飛再握兵權，你不自首，反問我信在哪裡？』張俊反正是栽贓。

『什麼人看到岳雲寫給我的信？』張憲氣得渾身發抖。

『反正，不打是不招，來，給我打！』

張憲就被拖了下去，打得遍體鱗傷，全身都是血，幾度昏眩過去，但是張憲是個硬骨頭，怎麼樣也不肯誣賴岳雲。

眼看著，再打下去，就要鬧出人命，張俊便下令，將張憲關入大牢，然後捏造了一張口供，交給秦檜。

接著，張俊派人把岳雲綁來，大刑伺候，岳雲也被打得不成人形，同樣關入大理獄之中。

秦檜、張俊的毒計是，兒子犯法，老子也脫不了關係，岳飛是主謀，岳雲只是幫兇，當即派遣殿前兵馬部指揮使楊沂中到廬山逮捕岳飛歸案。

岳飛早就知道這一切陰謀都是衝著他而來，當楊沂中到了廬山之後，岳飛坦坦然笑著說：『皇天后土，可表此心。』便跟著使者來到杭州。

閱讀心得

【第510篇】

『莫須有』下的犧牲者。

秦檜與張俊安排了一著毒計，把張憲、岳雲逮捕下獄，然後逼岳飛自廬山赴杭州對質。

岳飛一到杭州，住進賓館，便被秦檜安排的人帶到大理寺，秦檜派了周三畏、何鑄主審此案。

『岳少保！』周三畏和緩地叫了一聲。

岳飛徐徐抬頭，神態自若，二十年來，赤心保國，他不必害怕。

『岳少保是否與張憲通信，要他據襄陽叛變？』

『果有此意，何不在朱仙鎮大捷之後發動兵變，而要在隱居廬山時再發動？』

何鑄道：『張憲的口供都有了，令郎岳雲也招認了。』

不久鎖鍊的聲響，自遠而近，一串串的鐵鍊落在地上，鏗鏗鏘鏘，接著是微弱的呻吟聲，岳飛轉身一看，堂下兩個犯人披枷戴鎖、赤頭露腳、面目模糊，已不成人形，再仔細一看，那不是張憲與岳雲嗎？

岳飛忍不住怒髮衝冠、血脈僨張：『岳飛赤膽忠心，無負國家，天地共察，張憲、岳雲無罪，你們不可以陷害忠良。』説著，岳飛突然除去冠帶，脱下袍服，轉身向外，高聲地説：『先母在世，爲恐岳飛一時搖惑，

有誤國家，在岳飛背上刺了四個大字。』

那正是四個鮮紅赤字——『盡忠報國』深深印在皮膚裡。周三畏首先肅立致敬，何鑄也手足無措，滿堂胥吏獄卒都感動不已，甚且有低低的飲泣之聲。

周三畏是主辦此案的大理寺卿，乃辦案老手，他看得很清楚，這是齣奸臣誣害忠良的醜劇，不願意插上一脚，當天夜裡整備行裝，攜家帶眷，悄悄地離開了杭州。

至於何鑄比較有膽量，他竟然跑去找秦檜，說明岳飛是冤枉的，秦檜極爲不悅道：『這是皇上的意思。』

何鑄說：『我不是只爲了區區岳飛一人來說話，現在強敵未滅，無故損失一員大將，失士卒心，非社稷之長計。』

秦檜恨不得把周三畏、何鑄都剁成肉醬，這兩個人不聽話，秦檜就改任万俟卨（姓也怪名也怪，万俟是複姓），此人不但手段毒辣，而且與岳飛還有一段過節。

岳飛平定楊么之後，万俟卨出差到湖北，爲了巴結岳飛，建議岳飛足兵、足財、樹威、樹人四個策略，就是擴充私人兵力、謀求財源開發、藉詞殺中央官員、向社會示威以及遍佈親信，到處安插自己的人。

岳飛是一個何等光明磊落的君子，他如何聽得進這種自私自利的主張？當場就把万俟卨痛罵了一頓：『我不是擁兵自重，割地稱雄的人，你最好免開尊口。』万俟卨十分不痛快。

於是，再次審判，万俟卨就多方羅織罪名，他獰笑地問岳飛：『你說無心造反，你還記得數年前你遊天竺寺在壁上留言，其中有「寒門何載富貴」這是什麼意思？莫非有非分之想？

『還有，你曾經向人誇耀「三十二歲爲節度使，自古罕然」，你可知道宋太祖也是三十二歲做節度使的？』

岳飛冷笑不語，這種無聊的文字獄，實在不值一辯。万俟卨又說，岳飛曾經長嘆『天下事，竟如何？』張憲的回答是：『在相公處置耳。』這也表示心謀不軌。最後，岳飛攻打淮西時，高宗給他的親筆信，秦檜先派人搜岳飛家，把信沒收了，再誣賴岳飛不立刻發兵，有謀反意圖，既然信不見了，信上的日期無從查考，又成爲誣陷的理由之一。

万俟卨對岳飛百般拷打，逼他招認，岳飛終無一語，凜然不可屈。岳飛此時，早已是民間的英雄，民衆著急地集會、發傳單、寫招貼，士人劉允升上書爲岳飛喊冤，被逮捕之後，活活打死。皇室宗正趙士卿集合百人，上表高宗，願以性命保釋岳飛，結果以『包庇叛徒』爲理由，竄死建州。這就是偉大的高宗皇帝做的好事，眼睜睜看著這一幕悲劇的上演。

大將韓世忠此時心灰意懶，早已不過問世事，此時也捺不住跑去質問秦檜：『岳飛與張憲通信的證據在哪兒？』

秦檜說：『信被他們燒了，不過，這個證據是莫須有。』

韓世忠火大了，他憤憤地說：『莫須有三個字，如何服天下人心？』

遂拂袖而出。

當岳飛入獄期間，高宗派魏良臣爲求和特使，到汴京報告這個『好消息』，金國便把準備好的條件開示出來。如此一來，岳飛更非死不可了。

據說，由於民意沸騰，秦檜也頗感棘手，有一天晚上，一人獨坐書房之中，把玩著柑皮，用指甲在柑皮上一道一道地劃著，若有所思。

秦檜的妻子王氏，素來以陰險著稱，在窗外窺見，笑盈盈地走進來道：『老漢，捉虎容易放虎難也，你怎麼還不決斷？』

於是，他二人取來黃柑，小心地把柑肉剜出，留下一個空心柑皮，把處決岳飛父子及張憲的手諭塞入柑內，送入大理寺獄中。

紹興十一年十二月二十九日，岳飛等慘死獄中，只有三十九歲。宋史岳飛傳嘆惜岳飛的被殺說：『嗚呼冤哉！嗚呼冤哉！』岳飛雖冤死，但他的盡忠報國，天日昭昭，流芳百世，永垂不朽！

【第511篇】誰是殺死岳飛的主謀者。

紹興十一年十二月二十一日，宋金達成和議，宋朝割讓唐、鄧二州及陝西的一半給金，宋歲貢金銀二十五萬兩，絹二十五萬匹，高宗向金主稱臣，金歸還宋徽宗梓宮及高宗生母韋太后。

屈辱的和議既成，岳飛父子非死不可，十二月二十九日，張憲、岳雲在刑場斬首，岳飛死在獄中。

獄卒隗順很同情岳飛的冤獄，他悄悄把岳飛的屍首背了出來，出了城，埋在九曲叢祠，並且種了兩棵橘子樹在墳上做記號，他誰也沒説，事實上萬一洩漏消息可是要大禍臨頭的。

隗順臨死之前對他的兒子交代：『我相信以後朝廷一定會爲一代忠良，昭雪冤屈，我等不到那一天了，到那時候你再説出來，岳元帥腰下佩有一塊玉，可請岳家的人辨識。』

高宗之後到了孝宗時代，果然追復岳飛原官，以禮改葬，懸賞找尋岳飛的遺骸，隗順的兒子這才説出秘密。

岳飛的死，表面上是秦檜下的毒手，秦檜也被罵慘了，其實，最最可惡的不是秦檜，而是信任秦檜、任命秦檜的宋高宗。當岳飛關在監獄中，忍受獄卒像雨點般的捶打，他心中一聲聲吶喊著『皇帝在哪裡？』

對啊！宋高宗在哪兒？就眼睜睜地看著國家的忠臣遭受酷刑，含冤而死，許多人都說，高宗被蒙蔽了，他如果事先知道，絕不忍心岳飛遭此毒手。就算高宗事先不知情，岳飛死了他總該清楚吧，他爲什麼不處罰殺害岳飛的秦檜？讓我們看一看岳飛死後秦檜的結局：

根據宋史秦檜傳的記載，紹興十五年，高宗賜給秦檜一棟漂亮的房舍，宏偉壯觀，裡面富麗堂皇，且有一流的教坊樂隊。過了兩個月，高宗親自拜訪秦檜府第，秦檜的妻子兒孫都受到加恩，高宗還親筆題了『一德格天』的匾額送給秦檜，用以褒揚秦檜之『德』。

紹興十六年，秦檜設立家廟，高宗賜給祭器，所謂祭器是古代祭禮時盛放祭品的禮器，多用銅鑄成，在秦檜之前從未有將祭器賜給將相之例。

紹興十七年高宗改封秦檜爲益國公，十九年高宗下令爲秦檜畫像，他還親自寫贊語，紹興二十五年，秦檜因病去世前，高宗特到病床前問候，傷心得眼淚都要掉下來了。

總而言之，秦檜生前死後，高宗對他的寵信不減，秦檜不但沒有遭到什麼報應，而且還活到六十六歲，這似乎是很不公平，所幸，天地之間尚有正義之氣，善良的中國人恨透秦檜，因此有人稱油條爲油炸檜以洩其憤。

在宋朝人的筆記之中曾記載秦檜的東窗事發的故事：

據說秦檜夫妻有一回上靈隱寺燒香，忽然發現牆上有一首詩『縛虎容易縱虎難，東窗毒計勝連環；哀哉彼婦施長舌，使我傷心肝膽寒。』說的正是秦檜與其妻的東窗下設計陷害岳飛之事（請參考上篇）。

後來，秦檜死了，王氏某日正心神恍恍惚惚，坐臥不安，忽然一陣陰風，吹得她毛髮皆豎，抬頭一看，卻見牛頭馬面，引著一班鬼卒，赤髮獠牙，各執鐵棍，秦檜披枷戴鎖，走近前來，對王氏說：『我好苦啊！』王氏嚇得魂飛魄散，冷汗直流，秦檜只說了一句：『東窗事發了。』

以後，東窗事發四個字就用來形容陰謀敗露。

秦檜生前，也許沒有嘗到東窗事發的報應，但是在他死後，他與王氏、張俊、万俟卨卻被鑄成了鐵像，日日夜夜跪在『宋岳鄂王墓』之前，墓旁刻有『盡忠報國』四個字，墓門有聯『青山有幸埋忠骨，白鐵無辜鑄佞臣』。

到了明朝，這四個赤身反縛的鐵像，早被遊人打碎，萬曆四十年重修，不久，又被村民把鐵頭打落，雍正年間重新再鑄，這一回，竟然以白鐵不能被四個惡人所汚辱，而改用叛逆盜賊的兵器熔化來鑄成。

岳飛冤獄平反之後，孝宗淳熙五年，賜給岳飛『武穆』的諡號，武是折衝禦侮，穆是佈德執義，所以後人尊稱他爲岳武穆。紹興三十二年，孝宗特准以臨安府的顯明寺充任岳飛功德寺，以後歷朝歷代自己繪像和立廟祭祀者不計其數。

現在台灣宜蘭縣有岳武穆廟，其他如新竹有武聖廟、嘉義新港有精忠廟，都是因爲崇敬岳飛而建立的，日月潭的文武廟，祭祀孔子、關羽、岳飛，花蓮太魯閣也有岳王亭。

岳飛三十九歲，英年早逝，他的肉體生命很早就結束了，但是他在中國歷史上所扮演的精神生命卻沒有了結，他爲後代樹立了一個了不起的精神典範。

岳飛十九歲從軍，三十九歲被殺，他沒有拯救國家，甚且連自己都救不了，可以說是一個悲劇英雄。中國歷史上成功的英雄，多得不可勝計，例如田單、衛青、霍去病、郭子儀，但是，無疑的，他們的普遍度和受尊敬度遠不及關公、岳飛，爲什麼？難道中國人不喜歡成功？

不是的，中國常常不以最後的結果是成功或失敗來論定英雄，而是重視他們一生之中那種『富貴不能淫，貧賤不能移，威武不能屈』的奮鬥精神與節操，岳飛那種『文臣不愛錢，武臣不惜死』的原則與作風，也正是世世代代值得效法的。

『吳姐姐講歷史故事』花費了龐大的時間心力篇幅，竭盡所能地介紹一代偉人的英勇事蹟，寫到岳飛含冤，秦檜得逞，我自己數度哽咽，氣得寫不下去，希望點點滴滴的小故事能鼓勵讀者以岳飛爲榜樣，盡忠報國，萬死不辭，爲人間留一分正氣，讓我們大家彼此互勉！

閱讀心得

【第512篇】

陸游夢斷沈園。

介紹完了岳飛的故事，我們可以明明白白體會那個時代的悲哀，讀書人眼見國事危急、奸臣當道、人民痛苦、河山破碎，無不深深感到悲痛與憤恨，無可奈何之中，便把一腔澎湃的感情宣洩在詩詞之中，產生了許多優秀的文學作品，我們首先要介紹的是號稱南宋第一詩人的陸游。

陸游生於宋徽宗宣和七年十月，當時他的父親陸宰出任淮南計度轉運副使，帶著懷孕的妻子唐氏乘船上任，半途之中，天昏地暗，風大雨急，船靠岸時，唐氏臨盆，產下一子，即爲陸游。

由於前一天夜晚，唐氏夢到北宋大詞人秦觀（字少游），遂以游命名，並且爲陸游取了務觀爲字，由此可知，陸母原本也是知書達禮的雅士，卻成爲中國惡婆婆虐待媳婦的典型代表人物。

陸游的表妹唐琬，字蕙仙，兩人是青梅竹馬的玩伴，三十歲那年，陸游與唐琬成親，親上加親，眞可說是神仙眷屬。唐琬原是陸母的姪女兒，但是陸母打心眼裡厭惡唐琬，到底爲什麼？說法不一。

有人說，陸游與唐琬過於恩愛，引起了陸母強烈的妒忌心。

有人說，唐琬婚後，遲遲未有子嗣，成爲一大罪狀。

還有人說，唐琬父親過世之後，唐琬後母想把她嫁給地主曹慕義爲妾，

唐琬不肯，逃了出來，表兄妹重逢，暗許終身，以釵鳳爲憑，因此陸母頗爲不悅。

甚且有謂，陸母信佛教，每月初一十五必到廟裡燒香。有一次，唐琬跟了去，她美麗脫俗，被富家子盧士俊看上，盧士俊遂央託廟中六根不清淨的住持妙因相助，妙因向陸母進讒言，說唐琬的命太硬，陸母深信不疑。

有一天，陸母沉著臉對陸游說：『我要你把唐琬休掉！』陸游一聽此言，差一點沒昏了過去，卻又不敢違抗母命，只好陽奉陰違在外頭賃了一間房子，讓唐琬搬出去住。

唐琬遷居之後，陸游整日精神恍惚，愁眉苦臉，只有偷偷溜出去與唐琬見面之時，一顆哀傷的心才能夠暫時得到慰藉。可是，即或是這般的委曲求全也支持不久，好事者的告密，陸母的大發雷霆，逼得陸游寫了休書，並且被當成囚犯一般看管。

陸母爲了斬草除根，替他迎娶了王氏做爲第二任妻室，陸游身不由己，心情苦悶，時常到山上找老僧惠迪聊天，常感人生乏味。唐琬不久亦改嫁同郡宗室趙士程，趙士程溫柔體貼，唐琬卻是鬱鬱寡歡。

陸游與唐琬相隔愈遠，彼此的影像卻更加完美而逼真，這一份沉痛的感情始終在心裡燃燒著。

十年後，陸游赴沈園散心，竟然意外地遇到唐琬。

沈園位在紹興南方不遠，極池臺之勝，繁花如錦，新柳吹棉，是著名的遊覽勝地。兩人不期而遇，都呆住了，想開口，卻不敢講話，更何況，唐琬的夫婿趙士程還在旁邊，於是，從來未曾癒合的傷口又裂開了，鮮血泉湧。

雙方尷尬地避開視線，陸游失魂落魄地跌坐在石椅之上，危危顛顛地倒酒、飲酒，忽然有個小廝送來酒菜。陸游迷迷糊糊地問：『誰送來的？』

『就是帶家眷賞園的趙相公。』

陸游心中酸澀，踉踉蹌蹌地站了起來，在牆壁上題了一首傳誦千古的『釵頭鳳』：

『紅酥手，黃縢酒，滿城春色宮牆柳。東風惡，歡情薄，一懷愁緒，幾年離索，錯、錯、錯。

春如舊，人空瘦，淚痕紅浥鮫綃透。桃花落，閑池閣，山盟雖在，錦書難託，莫、莫、莫。』

據說，唐琬見了，傷心激動不已，也和了一首：

『世情薄，人情惡，雨送黃昏花易落。曉風乾，淚痕殘，欲箋心事，獨語斜欄，難、難、難。人成各，今非昨，病魂常似秋千索。角聲寒，夜闌珊，怕人尋問，咽淚裝歡，瞞、瞞、瞞。』

沈園一晤，陸游、唐琬又重溫了這段不幸的歷史，唐琬既不甘心受命運的撥弄，又不敢衝出世俗的樊籠，四年之後，與世長辭。

唐琬死了，陸游再也見不到伊人倩影，陸游對沈園更加縈懷難忘，他每每找機會入城登禹跡寺眺望，朦朧中彷彿又見到愛妻。

六十八歲那年秋天，楓葉初初轉紅，他又來到沈園，園已易主，以前刻在牆上的詩句因爲時代久遠而模糊了，新任園主又把它重新刻在石頭上，他感慨地低吟：『林亭依舊空回首，泉路憑誰說斷腸？』

七十一歲時，陸游又眼巴巴回到沈園，經歷了人世滄桑，他的感觸更加悲涼，所謂是『傷心橋下春波綠，曾是驚鴻照影來。』

八十一歲時，陸游已是老態龍鍾，走也走不動了，卻仍然日日夜夜思念著唐琬，他寫了兩首『夜夢遊沈園』的絕句。

一直到陸游臨終前兩年，他仍然日日記掛沈園。

『沈家園裡花如錦，半是當年識放翁，也信美人修作土，不堪幽夢太匆匆。』

當年的一切，如今只剩下一簾幽夢，陸游的癡情眞令天下有情人同聲一嘆！

閱讀心得

【第513篇】

家祭毋忘告乃翁。

陸游對表妹唐琬是死心塌地，一輩子堅貞到底。他對國家民族更是一片癡情，忠心耿耿，爲後人所讚美不已。

陸游的愛國情操，應該歸功於他的家庭教育！

他的父親陸宰，原本在徽宗時擔任京西路轉運副使。後來，因爲小事被御史徐秉哲參了一本，徐秉哲在彈劾陸宰的時候，他是義正詞嚴的一個鐵面御史，可是不久，他便暴露了他的漢奸本色。宋欽宗向敵人投降以後，徐秉哲幫助金人大肆搜括汴京，被金人任命爲開封府尹。

靖康元年秋冬之間，陸宰帶著全家大小南歸，沿路兵荒馬亂，陸游正在學步階段，只要聽到一聲『番兵來了——』衆人都急急躲入草堆中，往往一躲就是個十天半月，如此的童年往事，給陸游留下一個相當深刻的印象。

陸家回到了江南，暫時獲得喘息的機會，陸宰看到秦檜等比徐秉哲更陰險的漢奸，爲了個人利益，出賣國家，出賣民族，心痛萬分。

陸宰常帶著陸游赴朋友周侍郎及給事中傅崧卿、參知政事李光家中聊天，愈談愈激昂，愈談愈憤怒，又充滿了莫可奈何的無力感，最後總是大夥兒抱頭痛哭，雖然餐桌上準備了佳肴美食，卻是嚥不下去。

陸宰回到家裡，喉嚨彷彿塞了一塊東西，實在是毫無胃口。陸游漸漸長大了，經過患難折磨的孩子比較早熟，他一切都看在眼中，小小心靈之中也是又氣又恨又怒，同時也滋生了強烈的愛國種子。

陸宰在心灰意懶之際，百般無奈，除了讀書寫字，把全副心力花在教兒子功課上面，宋史陸游傳中說他『年十二，解詩文』。

小時候的陸游看起來是個不折不扣的書獃子，他對書本著迷萬分，時常飯冷了、菜涼了，家人怎麼呼喚他都埋首在書海之中，眞的餓得受不了，他隨手拿起一塊餅，就著書本，竟覺得是美味的紫駝峰。到了晚上，夜深人靜，捨不得去睡，不知不覺中聽到了遠方的雞鳴，這樣的廢寢忘食，使陸游得了一個綽號叫『書癲』。

書癲長大了，滿腹學問赴臨安參加考試，當時是紹興二十三年，陸游二十九歲。

此次的主考官是陳阜卿，一見到陸游的卷子，大喜過望，立刻取爲第一名。

不料秦檜的孫子秦塤，也參加了這次考試，秦檜曾經暗示陳阜卿，應該讓他的愛孫取第一，誰知這個主考官不開竅，秦檜大怒，氣得差一點把陳阜卿給殺了。

第二年，禮部考試，主考官仍然把陸游列在前面，卻遭秦檜除名，把秦檜自己的子姪親戚錄取了一大堆，這就是大奸大惡的秦檜，一點也不奇怪。

陸游運氣不佳，莫可奈何，但是陸游對這位賞識他，又因爲愛才而遭斥的主考官念念不忘。後來陸游還寫了一首七言律詩，讚美他是天下英雄。在那個時代，凡是稍有些許良知的人，莫不對秦檜恨之入骨，陸游曾經在《老學庵筆記》之中記載一件刺秦案，寫得相當有趣。

紹興二十年正月，有一位殿前司軍人施全，乘著秦檜入朝，手握斬馬刀在望仙橋下埋伏，見秦檜轎子經過，揮刀一砍，砍斷了轎子的栓子，秦檜毫髮未損，施全被捕。

施全被斬首示衆時，圍觀的人個個搖頭嘆息，有一個看熱鬧的說：『這傢伙成不了事，該斬，該斬！』說得正在難過的人們都笑了起來，也可見人人都厭惡秦檜到達了極點。

陸游仕途不遇，他安貧守拙地自耕自讀，直到孝宗即位，有北伐中原之志，非常賞識陸游才華，賜他進士出身，陸游一方面有感於孝宗知遇之恩，一面又秉持素來愛國之志，全力以赴，直言極諫，三番兩次地得罪觸怒了皇帝，被貶爲鎮州通判。

陸游一生，前前後後五次罷官，所謂是『功名富貴兩茫茫』，卻不改報效國家的心意，他甚且學劍，老是做『三更撫枕忽大叫，夢中奪得松亭關』的美夢，醒來之後，對著枕頭長嘆不已。

六十二歲那年十月十三日夜晚，他夢到一個草木叢深、狐兎出沒的奇異地方，太陽映照著仙人掌，他看到一處突起的大塚，人家說，這是荊軻之墓，陸游憶起荊軻刺秦王的悲烈，內心十分傾慕，也許潛意識之中，他想要效法荊軻，爲國除奸。

現實生活中的困頓，促使陸游更一頭栽入書堆之中，他見到書就眉開眼笑，不惜典賣衣物來購書，又喜歡做一些貼貼補補的工作，到了後來，桌前床上，前前後後，到處全是書，有朋友來找他，先是進不去，進去了又出不來，繞來繞去全是書，賓主相視而笑，因此五十八歲之後，陸游把自己的書齋自稱爲『書巢』。

晚年的陸游生活簡樸，他泛舟、採梅、散步、賞月、騎牛吹笛，衣服髒了不洗，頭髮披散著不梳，和小孩子們玩耍，因此自號爲放翁。

陸游最大的成就當然在詩詞，他說：『文章本天成，妙手偶得之』，無論是憤慨奔放或閒適恬淡的詩，他都寫得『淺中有深，平中有奇』，精采極了！

當然，他最膾炙人口的，還是在臨死之前，念念不忘國家，叮嚀兒子在中原收復之日，千萬要告訴他：

『死去元知萬事空，但悲不見九州同；王師北定中原日，家祭毋忘告乃翁。』

這是一個多麼傷心的遺言，這種精神卻又是何其壯烈，他是如此悲痛地期望著，卻也成了永久的遺恨。在他死後六十多年，宋朝終於亡於外族。

閱讀心得

【第514篇】

虞允文的采石之捷。

宋金和議之後，雙方維持了二十年的和平，金熙宗被殺，金主完顏亮即位之後，戰爭再起。

金熙宗在少年時代，頗有些朝氣，也曾讀過論語、五代史等書，到了晚年，沉湎於酒精之中，又特別喜歡殺人，金太祖太宗的子孫幾乎被他殺光。

完顏亮是金太祖的庶長孫，他約集了左丞相與右丞相在皇統八年某個夜晚，偷偷摸入內宮，一刀刺中熙宗，鮮血濺了熙宗一頭一臉。完顏亮被擁爲帝，改元爲天德。

完顏亮即位之後，比金熙宗更爲殘暴，他好大喜功，先遷都於燕京，準備一步一步向南發展。

完顏亮小時候讀中國書，他就對南朝興趣濃厚，江南的衣冠文物，向來是他所嚮往的，他曾經派遣畫工混在前往南宋的使節團之中。畫工回來，依照記憶畫了一幅『臨安湖山城郭圖』，這個不稀奇，稀奇的是畫工聽從完顏亮的指示，把完顏亮畫在吳山山巔，策馬而立。

完顏亮非常喜歡這幅畫，左看右看，自得萬分，他還題了一首詩，『萬里車書盡混同，江南豈有別疆封，提師百萬西湖上，立馬吳山第一峰。』

乾癮過夠了，完顏亮蠢蠢欲動，再加上吏部尚書李通在旁邊不斷地煽火，盛讚江南如何富庶，子女玉帛如何衆多，完顏亮遂決定幹了。

在宋朝方面，國子司業黃中自金朝歸來，上奏高宗：『金人治理汴京，有準備南侵之意，不可不防備。』宰相湯思退立刻貶斥黃中，湯思退這個名字取得眞好，一天到晚只想退。

第二年，禮部侍郎孫道夫出使金朝，回來又奏稱金朝有南征之意圖，宋高宗十分不悅道：『朝廷對待金人甚爲優厚，他們有什麼藉口。』

『弒君奪位的人，本來用不著什麼藉口。』

孫道夫說的是實話，高宗卻聽不進去，爲了消除不快，他立刻將孫道夫貶至四川綿州，但是心中還是毛毛的。於是，再派王倫使金。

假如說實話，不免會遭到貶斥的命運，王倫當然編了一套謊言：『鄭國恭順和好，別無他事，而且感謝陛下威德不盡。』話還沒說完，湯思退等立刻歡呼稱賀。

金正隆四年，完顏亮大舉南征，準備一舉消滅宋朝，他連克廬州（安徽合肥）、和州（安徽和縣）、揚州（江蘇揚州市），後在采石（安徽省當塗縣）對岸築起高臺，臺上擺了兩面繡花大旗，中間張開黃傘，他自己披了黃金甲，設立祭臺祝告天地，殺了一隻黑馬祭天。

宋朝這邊，節節敗退，劉錡老病，王權撤守，高宗特派葉義問與虞允文分往前方視師。

虞允文字彬甫，政和年間進士，他以孝順著名，母親過世之後，朝夕在墓旁痛哭，墓旁邊有一棵桑樹，飛來兩隻烏鴉在此築巢，中國人一向認爲烏鴉有反哺報恩的美德，鄉里之人都認爲烏鴉是被虞允文感召而來。母親過世之後，父親單獨一個人，十分寂寞，又老又病，虞允文爲了陪伴父親，朝夕不離左右，一直在父親身旁守了七年，等到父親過世以後才出來作官。

忠臣多出於孝子之門，虞允文後來擔任秘書丞、禮部郎官都十分盡責，他也曾出使金朝，完顏亮送別時，曾經含意深刻地說：『我將到洛陽看花。』虞允文回來，立刻上奏加緊整修沿海軍備，可惜高宗不聽。

江南戰爭失利，虞允文赴前方犒軍，到了采石，只見官軍三三兩兩，無精打采，解鞍束甲坐在道旁休息，他立刻整編部屬，召集諸將，並且拿出金帛道：『金帛、誥命都在這兒，你們趕快立功，這些都是大家的了。』
誥命指的是任官的命令。

殘兵敗將本來毫無鬥志，被虞允文一激動，立刻又精神抖擻。

有人悄悄對虞允文道：『虞公受命犒師，不受命督戰，萬一壞了事，你難辭其咎。』

虞允文不理會勸他明哲保身的建議，他把南岸兵船分爲三組，先引誘金人將船隻引至中流，然後出兵突襲，以海鰌船衝擊敵舟，並且使用了霹靂砲轟擊金船，火藥是中國三大發明之一，霹靂砲在當時一定是很新鮮刺激的玩意兒，可惜中國古人重視人文，輕視科技，沒有記載得太詳細，這一仗，金兵大敗，就是歷史上著名的『采石之捷』。

金軍正在鬧哄哄地作戰之時，忽然傳來消息，東京政變，金世宗即位，完顏亮本來準備撤兵北返，平定內亂，後來想想，不如得勝之後，凱旋而歸比較夠威風，遂放棄采石，馳赴揚州，準備從揚州向南攻。

虞允文得到消息，又立刻趕往京口（今江蘇鎮江），在江面舉行閱兵，命令戰士試驗踏車船，往來江面，馳驟如飛，壯觀極了，踏車船是當時新製的一種機器輪船，是用輪子打水，遠比用槳櫓的便捷。

金兵見了，大驚失色，飛報完顏亮，他昂頭笑道：『紙糊的船，有什麼好怕的，我一擊即碎！』

有一員大將跪奏：『敵方有備，不宜輕視，請陛下暫駐揚州，暫緩進攻。』完顏亮以其阻撓進軍，重打五十大板並且限令『三天渡江，誰敢不渡，砍誰的腦袋。』

金兵竊竊私議：『後有淮河，前有大江，進退都是死路一條，我們何不共舉大事，殺亮北歸。』

於是金兵部隊發生叛變，完顏亮中矢斃命，霹靂砲、踏車船都成爲歷史上有名的新戰技。

閱讀心得

【第515篇】

金戈鐵馬辛棄疾。

介紹完南宋愛國詩人陸放翁之後，讓我們再看看最爲激昂慷慨，滿懷悲憤，熱烈愛國的一代偉大詞人辛棄疾。

辛棄疾，字幼安，號稼軒，山東歷城人，他生下來的時候，北方已淪入金人之手，他的祖父辛贊先後在譙縣和開封等地擔任地方守令。

辛贊不得已在淪陷地區做官，心中十分悲痛，做爺爺的，經常牽著孫子的小手，爬上高山，指劃山河，曉以民族大義。

辛棄疾長大一點，便被送到田園詩人劉瞻之處讀書，他聰明絕頂，領悟力強，與黨懷英二人，同時被劉老師所看重，過了沒多久，當地鄉里都曉得這兩個人書讀得呱呱叫，合稱爲『辛黨』。

少年時代辛黨爲一時俊彥，長大之後卻大不相同。黨懷英混入金國統治階級之中，謀得一官半職，心甘情願爲金人効勞；辛棄疾卻在二十歲那年，勇敢殺入民族戰場之中，其中分野，極可能是兩人家庭教育不同所致。

完顏亮遷都燕京以後，仿照唐宋的科舉制度，每三年舉行一次進士科考試，辛棄疾一舉及第，少年登科，前程遠大。

主考官蔡松年十分愛才，對辛棄疾讚不絕口，有意好好提拔他，可是，辛棄疾應考，只爲了測試自己的程度，他可不願意在金人朝廷爲官。

辛棄疾有個好朋友，他是個出家人，名叫義端，雖然削髮爲僧，卻不耐青燈古佛，平素最喜談論兵事。有一天，義端又來找辛棄疾，人還沒有跨進門便直著嗓子高喊：『好消息，完顏亮死了！』

『怎麼死的？』

『聽說他在采石被虞允文殺得大敗，又因爲對部下太苛，結果被部將所殺。』

『這豈不是天賜良機？』

完顏亮的死，使得淪陷區之內的英雄豪傑大爲興奮，他們紛紛揭竿而起，組成義軍，其中力量最大的是山東東平府的耿京，辛棄疾也組織了兩千多弟兄，加入了耿京部隊，由於他的文才，被任命爲『掌書記』，就是擔任掌管全軍的書檄文告的工作。這一年，辛棄疾只有二十一歲，眞可以說是少年英豪。

在草莽英雄之中，辛棄疾這位進士出身的小將，很快就展露了文武全才的本事，他四處奔走，拉攏人才，也說動了義端和尚，帶領一千多人投効耿京。

可惜，義端加入不久，馬上就後悔了，他連連貽誤軍機而受處罰，心中十分懊喪，心想原來雖然只有一千人馬，到底也是一個龍頭老大，奈何現在屈居人下，飽受窩囊氣。於是，在一個月黑風高的夜晚，義端竟然偷了耿京的印信溜了，顯然是準備投向金人軍營報功，藉以復仇。

由於印信是歸辛棄疾保管的，東西丟了，辛棄疾不能不負責任，耿京大怒，立刻要以軍法從事，他拍案叫道：『把辛棄疾拖下去斬了。』

辛棄疾也頗爲惱怒義端，他向耿京要求：『請給我三天期限，把叛賊拿下治罪，如果不能擒獲義端，我甘願受罰。』

耿京答應了辛棄疾的請求，辛棄疾立刻躍身上馬，脚踢馬腹，向前飛奔，不一會兒，便追上了義端，大吼道：『哈，禿賊莫逃！』

義端是知道辛棄疾的武功的，別看他文質彬彬，卻是武藝高強，尤其辛棄疾爲人是非分明，嫉惡如仇，自己這番變節，辛棄疾是斷斷不會放過的，於是，義端立刻下馬，親親熱熱的討饒：『幼安，我知道你的眞相，你是青兕降生，力能殺人，拜託拜託，饒我一命。』

辛棄疾哪兒肯依，長劍一揮，義端已人頭落地。

三天期限未到，辛棄疾已拿了印信及義端的腦袋回命，耿京大為吃驚，也更欽佩這個年輕小伙子。

第二年，耿京在辛棄疾的力勸之下，決議向南發展，他想先派一個人對高宗提出報告，遂指派諸軍都提領賈瑞前往，賈瑞是個大老粗，自己心裡有數，不敢去，他向耿京請求：『可不可以增派一位能文善道之士和我一起去，比較妥當。』

當然，這個文士非辛棄疾莫屬，他等一行來到建康，宋高宗知道了，立刻接見，予以嘉勉，並且封耿京為天平節度使，辛棄疾為右承奉郎、天平節度掌書記，辛棄疾等受封後，立即返回東平府。

豈料就在他們回返途中，耿京部隊發生叛亂，張安國與邵進殺了耿京，投降金人。

辛棄疾聽了，搥胸頓足，萬分痛心，立刻撲擊金營，張安國等人正在開慶功宴，你一杯，我一杯，喝得不亦樂乎，忽然間，一陣淅瀝嘩啦杯盤碎了滿地，辛棄疾手提三尺劍，一個空中翻身擋在張安國面前：『你想往哪裡逃了？』然後，他以迅雷不及掩耳的速度，把張安國挾持在馬上，晝夜不休，粒食不進，直奔臨安，宋高宗下令斬張安國於市。

辛棄疾漂亮的這一招，使高宗大爲讚賞，改派他爲江陰僉刺，從此辛棄疾不再回山東，這一年，辛棄疾只有二十三歲。

辛棄疾的詞，早已膾炙人口，他在少年時有如此矯健的身手，一般人所知不多，他的名句『想當年金戈鐵馬，氣吞萬里如虎。』雖然是形容三國時代的孫權，又何嘗不是自身的寫照？

閱讀心得

【第516篇】

天涼好個秋。

上一篇我們說到，意氣風發的辛棄疾終於回到南方，深想施展抱負，大大幹他一番。

宋高宗紹興三十二年，高宗傳位太子，是爲孝宗，孝宗即位之初，倒是頗思振作，銳意改革，辛棄疾來自淪陷區，滿腔熱血南渡，眼睛所見一切，卻讓他傷心不已。

高宗在臨安建都以後，杭州日益繁華，不但有幾十處茶樓酒館，也有各種雜戲技樂，當時王公貴族們一擲千金，人稱杭州為『銷金窩兒』。

辛棄疾抱著力挽狂瀾的心情，對宋金對立的形勢與軍事反攻前途作了詳細具體的分析，寫成十篇論文，統稱之為御戎十論(或稱之為美芹十論)，可惜這些極具價值，頗有見地的建議，未被朝廷採納，他在晚年想到此事，不免傷心嘆曰：『卻將萬字平戎策，換得東家種樹書。』

辛棄疾的雄才大略、壯志抱負與南宋苟安的政策不符合，他一心一意想在疆場與敵人一較長短，朝廷卻始終不給他機會，但是他不論出任任何地方官，總是盡心盡力，固守原則，為百姓謀福利。

譬如他在擔任荊湖南路安撫使之時，湖南地區有許多號稱鄉社的組織，所謂鄉社，實際上就是土豪劣紳用以欺壓鄉民的一種非法機構，辛棄

稼家
軒干

疾準備好好對付他們。

然而此時南宋的軍隊，不論是中央禁軍或是地方軍，全都腐敗不堪，湖南地區大部分士兵變成了統帥私人傭工，或搬運土木，或建築宅第，有的更被將校們差遣到市區中作買賣，自然也就談不上教騎習戰，操練技勇了。

辛棄疾決心成立一支湖南飛虎軍，剿平地方悍匪，但是，首先建築營房就困難重重，湖南多雨無法燒造瓦片，他當下決定，出資購買，命令長沙城外居民，每家送二十片瓦，且於二日之內送到營房基地，每家酬以一百文，果然兩天之中輕輕鬆鬆解決了瓦片問題。

修建營房也需要大量的石塊，他調遣囚犯赴駝嘴山開鑿，依照量刑輕重，規定應繳石塊，挖得多的囚犯可以減刑，囚犯們都做得十分賣力，於是石塊問題也解決了。

營房建好了，辛棄疾挑選士兵也異常嚴格，在短短期間之內，飛虎軍的聲名鵲起，不但削平湖南土匪，連金人也畏懼三分，稱之爲虎兒軍。

南宋政府對地方官吏防禦很嚴，深深惟恐地方官有自己的力量，所以辛棄疾又被調到江西。

江西不比湖南的魚米之鄉，一向收成差，又因遭逢旱災，民不聊生。辛棄疾一到，馬上表現威猛果斷的政治作風，公開榜示『閉糴者配，強糴者斬』，意思是說，凡是囤積米糧者，最好早日賣出米，否則便要受到流配充軍邊疆的處分，假如缺糧的人家，也不許向囤糧之户強行劫奪，否則就要問斬。辛棄疾言出必行，短短一個月之內就解決了問題。

像辛棄疾果決立斷的明快作風，乃是國家最迫切需要的人才，但是，當時腐化的政治環境，沒有多久，臺臣王藺以『用錢如泥沙，殺人如草芥』的罪名，參他一本，辛棄疾在四十二歲那年，便回上饒與山林爲友了。

辛棄疾在依山傍水之地，建了幾座小樓，把低窪地方闢爲稻田，花徑竹扉，池塘茅亭，應有盡有，他之所以闢稻田，因爲他一向重視農事，因此特把庭園取名爲『稼軒』，以後也自號爲稼軒，與朱熹、陸游、姜夔等唱和。

他本是一心想要騎馬殺敵，光復國土的英雄豪傑，卻被迫退守林園，做一個不問世事的隱士，心中無限痛苦，只有宣洩於詩詞之中，他那英雄勇武氣魄，救世報國的熱情，再加上廣博的學識，造成他詞句中雄奇高潔的風格，不論說哲理、談政治、遊山水、道愛情、發牢騷，樣樣都寫，成就不凡。

譬如大家所熟悉的『醜奴兒』：

『少年不識愁滋味，愛上層樓，愛上層樓，爲賦新詞強說愁。
而今識盡愁滋味，欲說還休，欲說還休，卻道天涼好個秋。』

這首詞是人們所熟悉的，看了辛棄疾年少時的豪氣淋漓，以及後來南歸之後，對政局的無力感，當能體會他又愁又急，眞不耐煩被迫退隱的心情。再看他一首曠達的『西江月』，十分有趣：

『醉裡且貪歡笑，要愁哪得工夫。近來始覺古人書，信著全無是處。

昨夜松邊醉倒，問松我醉何如？只疑松動要來扶，以手推松曰去！』然而辛棄疾最大的成就在詞，而不是在他的功業之上，我們現在經常引用的許多名句如：『我見青山多嫵媚，料青山見我應如是』、『更能消幾番風雨，匆匆春又歸去』、『衆裡尋他千百度，驀然回首，那人卻在燈火闌珊處。』都是出自辛棄疾之手。

辛棄疾是一個文武全才，滿腔忠憤之氣，發之於詞，遂成南宋宗師。我們多讀一些詞人生平故事，再回過頭來看他的作品，更能有一番新的體會。

閱讀心得

【第517篇】南宋詞人姜夔。

宋朝南渡以後，經過了十數年混亂危難的局面，在采石之戰以後，宋金南北對峙的局面，逐漸穩定下來，朝野上下，慢慢地忘掉了靖康之難，又步入酣歌醉舞的生活了。

當時，杭州的繁華，士大夫的奢侈，都超過北宋汴京時代，因此有人作了一首詩諷刺道：『山外青山樓外樓，西湖歌舞幾時休，暖風薰得遊人醉，直把杭州作汴州。』在這個偏安的局面之中，雖然有少數的文學家如陸游、辛棄疾等大聲呼號，提出危機意識，但是大部分的文人，又回到歌兒舞女的懷抱之中，開始講求聲光音律的唯美，其中最著名的便是姜夔。

姜夔，字堯章，他的父親姜噩，是個頗有名氣的文人，寫得一手好詩詞，而且妙解音律。他的母親姜夫人，原本對樂器一竅不通，嫁到姜家之後，經過姜噩一番調教，也能彈一手好箏，夫妻二人時常對彈，眞可以稱得上是琴瑟和鳴，鶼鰈情深了。

由於夫妻二人都喜好音樂，當他們喜獲麟兒之後，也希望小男孩長大以後是個愛樂之人，因此取名爲姜夔。夔有兩種解釋，一爲一種怪獸，形狀像龍而只有一隻腳；另一說是古時的人名，爲堯舜時代的樂官。

或許眞的是名字取對了，姜夔自小便流露出對音樂的喜愛，他時常悄

悄撥弄琴弦，而且學著爸爸的模樣，半歪著臉，若有所思的模樣，神情既專注又可愛。

姜噩大喜過望，開始教導他樂理，姜夔總是一點就透。除了學習樂器，姜夔開始背詩、誦詞，他都表現出過人的聰明。當然，孩子總是孩子，基本上他仍然是個調皮的小男生。

在他六歲那年，發生一件有趣的事：

姜夔的父親有一位好朋友，名叫蕭德藻，字東夫，兩人同一年考上進士，志趣相投，互相往還。蕭東夫長了滿臉的絡腮鬍，彷彿虬髯客一般，相當威武。

姜夔對這位伯伯的鬍子極感興趣，他以前沒有看過任何人有如此多而黑的腮幫鬍子，終於忍不住，偷偷用力拉了一下：『喔，好硬啊！』

『夔兒，不得無禮！』姜噩發火了。

『沒有關係！』蕭東夫倒是不以爲忤，一把抱起了姜夔，捏捏他的小臉，『多清秀的小孩子。』

到了姜夔三十二歲那年，他父親早已過世了，他又遇到了蕭東夫蕭伯伯，東夫想起姜夔小時候扯他鬍子的頑皮往事，非常的親切，便做主把姪女兒嫁給他，蕭氏賢慧端莊，卻不是姜夔心中愛慕的對象，他所深愛的是妓女白素心以及歌妓小紅。

白素心與她的妹妹白素秋，兩人是皖北名妓，她們本是富商家中的嬌嬌女，自小學習各種才藝，後來，富商遭人陷害，母親自殺，她二人便流落風塵，其中白素心尤爲出色，她不但甜美動人，而且會彈琵琶，擅長詩文，又有一副婉轉的嗓子，不曉得迷倒了多少顧曲周郎。

對於姜夔，白素心是慕名久矣，他雖然沒有做過官，但是擅長詩文，尤其以詞最爲拿手，還會刻圖章，性格灑脫磊落，人品清高雅潔，又是一副弱不勝衣白面書生的模樣，許多人形容他是魏晉時代秀美男子的再版。自然而然，雙方一見之下便產生情愫。

可惜好景不常，合肥縣令李傑願意出錢贖出姊妹花，條件是素心被納爲妾，素心爲了妹妹的幸福，一口就答應了。姜夔爲之心碎，奈何兩袖清風，沒有能力爲她贖身，也就是在心灰意懶的情況之下，他接受了蕭東夫的美意，娶蕭氏爲妻，但是，內心深處，仍舊思念著素心。

直到有一天，姜夔遇到了另一位紅粉知己——小紅。

他赴蘇州拜訪范成大，范成大也是有名的詩人，人稱之爲『田園詩人』，他家境富裕，養了不少歌妓，每次出遊，范成大總帶著幾個歌妓彈唱。姜夔才思敏捷，一會兒工夫便作了兩支新曲，那就是流傳千古的『疏影』與『暗香』，歌妓小紅輕輕唱來，帶著一抹淺淺微笑，姜夔整個人都呆住了。

范成大察言觀色，看穿了姜夔的心事，當下宣佈：『將小紅配予白石！』衆人掌聲雷動，姜夔遂納小紅爲妾。

范成大喚姜夔爲白石，那是因爲姜夔曾居住於吳興白石洞邊，他的朋友打趣道：『洞天者，仙道所居也，吾兄俊逸非凡，仙氣飄飄，何不稱爲白石道人？』又因爲白石道人四個字太累贅，以後衆人遂以白石名之。

姜夔納小紅爲妾以後的日子，是他一生中最愉快的時光，出雙入對，研究曲譜，所謂是『自作新詞韻最嬌，小紅低唱我吹簫。』可惜後來小紅又遇到了初戀的情人。原來小紅在當婢女時，認識了一位落拓書生，不久書生進京趕考，便和小紅中斷了聯絡，在小紅嫁給姜夔以後，小紅又意外地遇到中了舉人的書生，姜夔知道了這件事，覺得君子有成人之美，把小紅送還給那位書生，使兩個有情人終成眷屬。

姜夔一生最大的成就，是繼承周邦彥的精神，成爲南宋格律古典詞派大師，而且影響了以後元明清詞學的發展。他的用詞遣字都是精微細密，圓美醇雅。例如人們所熟悉的『念奴嬌』中的一句『嫣然搖動，冷香飛上詩句』，是形容田田荷花，微笑地輕輕搖動，清冷的香氣竟然飄到詩句中來，多麼美妙。但是一味只求字詞的美，也就有人批評姜夔的詞過於香艷，作品中缺乏活躍的生命與性格，不能與有大氣魄的陸游、辛棄疾相比。

閱讀心得

【第518篇】

一代才女李清照。

李清照是宋朝南渡前後的女詞人，也是中國文學史上最偉大的才女，後人把李白、李後主（李煜）、李清照合稱之爲詞家三李。

李清照，號易安居士，山東濟南人，出生於書香世家。她的父親李格非，曾官禮部侍郎，提點京東刑獄，是一位相當風雅的官員，以文章與蘇東坡往還，甚爲蘇東坡所賞識。

李格非好學不倦，著作豐富，格非與他的父親都出自於韓琦門下。韓琦在當時名重一時，他和范仲淹一樣，文武全才，共稱韓范，有一首歌謠傳說：『軍中有一韓，西賊聞之心膽寒；軍中有一范，西賊聞之驚破膽。』除了父系方面的優良傳統，李清照的母親亦非等閒之輩，她是狀元王拱辰的孫女兒，係出名門，能寫一手好文章，也是一位才女。

於是，在這樣遺傳稟賦特別優異的書香氣息之中長大，李清照自小就顯露過人的才華，當她十一歲時，初試啼聲，深得文壇領袖晁補之的讚譽，晁補之一向自負甚高，不輕易讚美別人，許多文壇後進都巴望晁補之的賞識，而他居然特別推崇一個小小黃毛丫頭，可見，李清照之不凡了。

李清照的丈夫趙明誠，也不是簡單的人物，他對鐘鼎銅器、古董文字和石刻碑文（稱為『金石』）考證下過極深的功夫，他所著的《金石錄》一

書深受後代文史學者的重視。

他倆的結合，還附會了一則有趣的故事：據說趙明誠在小時候，曾經做過一個夢，夢裡讀了一本奇書，夢醒之後，他依稀記得書中三句話：『言與司合，安上已脫，芝芙拔草。』他莫名其妙，不曉得是什麼意思，趕緊去找父親趙挺之。

趙挺之略微思索，便解開這道謎，言與司合是『詞』字，安上已脫是『女』字，芝芙拔草，去掉草字頭，不正是『之夫』嗎？四個字合起來是『詞女之夫』。趙挺之笑著說：『你將來長大，一定會娶個女詞人爲妻。』後來果眞是美麗的『夢裡姻緣』。

趙挺之是新黨的中堅份子，曾與蔡京爭位，與舊黨的蘇東坡不合，我們在介紹蘇東坡的故事之中，曾經提過趙挺之。

趙明誠二十一歲之時，娶了十八歲的李清照，當時正在太學讀書，他倆志同道合，恩愛融洽，完全沉醉在美滿幸福之中，李清照寫了不少詞，記載新婚的甜蜜，例如：

『繡面芙蓉一笑開，斜飛寶鴨襯香腮，眼波才動被人猜，一面風情深有韻，半牋嬌恨寄幽懷，月移花影約重來。』——大意是說：閨中少婦笑盈盈拉開繡著荷花的簾子，歪著頭，臉兒貼著鴨形香爐，眼波才一轉，就被對方猜透了心意，充滿了風情韻味。

這段期間，趙明誠還是太學生，手頭上沒有太多零用錢，卻對金石古玩愛之若狂。每逢初一、十五相國寺開放爲市集，其中有不少珍貴的金石與碑文拓本，趙明誠總是忍不住典當了衣物，買些拓本與水果回家，與李清照兩人一面吃水果，一面展玩咀嚼古物，沉浸在研究學問的樂趣之中，經常自稱爲『葛天氏之民』。

所謂的葛天氏指的是傳說中上古時代的帝王，是遠古社會理想化的政治領袖人物，代表理想王國之意。

李清照婚後第二年，趙明誠由父親趙挺之的引薦，初度爲官，手頭比較寬裕，他夫婦二人，對金石字畫的搜集更加熱中，曾有『盡天下古文奇字之志』。

他二人每得一舊籍，規定每天晚上以點完一支蠟燭爲度，或加以題籤，或相互批評前代書畫彝鼎，由於兩人都是聰明絕頂，記憶力特強，所以常玩一種遊戲：

他們互相詢問對方，某一件事出在某書第幾頁第幾行，如果說得對，便是勝利者，可以先飲茶。由於猜對的，往往舉杯大笑，笑得太開心了，不小心把茶杯傾翻於懷中，大笑而更衣。這眞是雅人才有的閨中樂事，李清照曾追述這段『樂在聲色狗馬之上』充實而迷人的生活。

在崇寧年間，有一回，曾經有人拿著五代畫家——徐熙的牡丹圖前來兜售，索價二十萬錢，即使是富貴人家的子弟，想要一下子拿出二十萬，也不是容易的事，但是像徐熙這般的珍品又怎能割捨？於是他們留下了畫，約好三天之後來拿錢。

三天之中，他們典當了所有的東西，趙明誠又四出告貸，還是湊不足二十萬。三天之後，只好眼睜睜看著牡丹圖被拿走了，夫妻二人又是惋惜，又是哀嘆，若有所失了好長一段日子。

就文學的天資而言，李清照是勝過趙明誠的，起初，趙明誠還是不服氣。後來，發生了一件趣事：

趙明誠做官以後，自然不能像太學生時代一般，時常陪伴在李清照的身旁。有一年重陽節，明誠又出公差，李清照實在太想念他，寫了一首『醉花陰』寄給明誠。

趙明誠左看、右看，不由不嘆賞。忽然，心生一計，他窮三天三夜之力，填了十五首詞，加上李清照這一首放在一塊兒，交給內行朋友去品評。

其中對詞最有研究的陸德夫看了又看，正色道：『其中有三句最佳。』

『噢！是哪三句？』趙明誠眉飛色動。

『莫道不消魂，簾捲西風，人比黃花瘦。』

這正是李清照的句子，趙明誠呆了半晌，甘拜下風，也正因為趙明誠絕佳的風度，不嫉妒妻子的才情，李清照才能源源不絕寫下流傳千古的詞章。

閱讀心得

【第519篇】

趙明誠、李淸照藝術仙侶。

上一篇我們說到，趙明誠與李淸照結婚之後美滿而幸福，他們把整個生活建築在藝術的基礎之上，除了詩詞唱和之外，便是搜集與硏究古代的金石美術。

李淸照衣著樸素，髮上沒有明珠翡翠，節儉持家，卻與趙明誠攜手瘋狂迷戀古器物。經過多年來的努力，他們珍藏的書畫器物，已經成爲全國第一了，他們定製了許多大櫥子，分門別類，按件整理，而且極爲科學化的編了目錄。

有時候，要查看某一卷書，先要在本子上登記，再取出鑰匙，小心翼翼，領出書卷，用畢，再謹慎放回原處，上鎖。既莊嚴神聖，又其樂無窮，每一件書畫器物，都是他倆的心血，都代表過去一段美好時光，人生如此，夫復何求！在李清照三十一歲時，趙明誠曾在一張畫旁形容他的妻子是『清麗其詞，端莊其品』，正是李清照的寫照。

政和七年，這一對藝術仙侶，更把長時間以來蒐求、研究、考訂之後，對於金石文字研究上的心得公諸於世，這部心血的作品題名爲《金石錄》。

可惜，好景不常，覆巢之下無完卵，靖康元年，金人圍困汴京，時局危迫，此時，清照隨明誠在淄州任內，眼看著太平歲月不可再得，他們開

始整理行囊，由於藏書太多，金石器物也太多，幾經選擇割捨，還是裝了十五車。李清照形容此刻的心情是：『且戀戀，且悵悵。』知道一切終將不屬於自己了。

趙明誠夫婦由山東入蘇北，渡江到金陵，這時，宋高宗已在南京登基，趙明誠報到之後，高宗任命他爲湖州太守。

此時，金人冊立張邦昌爲楚帝，愛國心極強的李清照，一聽之下，大爲厭惡，寫了一首詩諷刺張邦昌『新室如贅疣』，疣是皮膚上長出的肉瘤。

即使在烽火狼煙四起之時，李清照還是李清照，不改她浪漫的藝術家天性，她在建康時愛上了雪，每遇到大雪紛飛的日子，就頂著斗笠，披上簑衣，拉著趙明誠登城賞雪，尋覓靈感，趙明誠每每暗中叫苦。

可是，過了沒有多久，李清照卻『試燈無意思，踏雪無心情。』她對高宗偏安的懦弱心理十分不滿，曾寫一首絕句：『生當作人傑，死亦爲鬼雄，至今思項羽，不肯過江東。』借古諷今，懷念項羽大氣磅礡之概。

不久，趙明誠奉召前往湖州（今浙江吳興），李清照暫居池陽。明誠離家這一天，李清照便有不祥的預感，當天是六月十三日，雖是六月天，天空卻是一片陰霾，趙明誠『葛衣岸巾，精神如虎，目光炯炯射人。』正要登舟，李清照忽然一陣寒意，自脚底升起，她高聲呼道：

『萬一，城裡突然發生緊急的事，那該怎麼辦呢？』

趙明誠大聲應道：『跟著大家吧，萬不得已先拋棄輜重車輛，其次衣被，再其次書冊卷軸、古器，只有那些宗器萬萬不可丟棄，一定要隨身攜帶，與身共存亡，你不要忘記了！』
趙明誠走了，李清照心中萬分悵惘，尤其局勢混亂，心中又驚懼又不安，她賦了一首詞：『明朝這回去也，千萬遍陽關，也即難留。』隱隱然已有惡兆。

李清照正在日日夜夜惦記著，有一天，忽然使者飛報傳書，說是趙明誠得了瘧疾，病倒在床。

瘧疾俗稱『打擺子』，發作起來，忽冷忽熱，十分痛苦，李清照深深了解趙明誠性子急，發熱時必然服下大量寒藥，如此則大可憂慮。

一念至此，李清照急得要命，立刻僱舟南下，一日夜行三百里，趕到了建康。完了，不出李清照所料，趙明誠果然服下大量柴胡、黃芩，瘧疾轉為痢疾，上吐下瀉，李清照就眼睜睜看著知心愛侶，一步一步走向死亡。八月十三日，趙明誠忽然要求取筆作詩，還來不及寫，他已絕筆而終，連一句遺言也沒有留下，死時不過四十九歲。在這一瞬之間，李清照成為孤獨寂寞的寡婦，她寫了一首詩：『十五年前花月底，相從曾賦賞花詩；今看花月渾相似，安得情懷似往時。』

終日的哀傷愁苦，本來就嬌弱的李清照病倒了，病得差不多死去，屋漏偏逢連夜雨，她又遭遇到新的打擊：

原來，當趙明誠初到建康時，學士張飛卿因為趙明誠是行家，曾經拿了一把玉壺請他品評高下，當時，趙明誠已經中暑，雙方談了一會兒，就告別了。

不料，這件單純的小事，傳到想染指李清照古玩者耳中，加以渲染，竟然變成了趙明誠想用玉壺賄賂金人，而有與金人互相勾結，涉嫌叛國的陰謀。

李清照一聽之下，大爲驚懼，百口莫辯，於是收拾家中所有銅器等物，想要獻給朝廷，表明自己清白，她趕到了越州，高宗又逃難到四明（浙江鄞縣）。東奔西跑之下，她心愛的古玩字畫，差不多都丟光了，她在『金石錄後序』之中，如此寫：『或者天意認爲我的福氣薄，不足以享受此尤物，或者死者地下有知，斤斤愛惜，不肯留此在人間，爲什麼得來是如此的困難，失去又是如此容易！然天下事有有必有無，有聚必有散，人亡之，人得之，又何足以道也？』

李清照寫得雖平靜，極力安慰自己看開一些，字裡行間，仍然難掩悲痛之情。

閱讀心得

【第520篇】

詞學才女晚年愁。

趙明誠去世之後，許多人垂涎著李清照手中的金石古玩，遂造謠趙明誠想用玉壺賄賂金人，陰謀叛國。李清照大爲驚恐，急忙收拾家中珍藏的銅器等物，一路逃難，趕著呈獻給宋高宗，表明一己的清白。

不料，一波未平，一波又起。在越州時，李清照借住在一個鍾氏人家家裡，半夜竟然有小偷挖穿了牆，偷走她五簏的書畫硯墨。簏，是圓而高的竹製盛物的箱子。

李清照一早醒來，望著挖空的牆壁，不覺淚如雨下，天地茫茫。她立下重賞，希望能夠贖回寶物。

沒多久，鄰人鍾復皓拿出十八軸來求賞，李清照一見之下，大爲悲憤，晶瑩的淚珠在眼眶中滾來滾去，她恨不得指著鍾復皓，大罵他是強盜行徑，卻苦無證據，反而爲了寶物安危，只有低聲下氣完成交易。

鍾復皓拿回來的只是其中一小部分，其餘丟掉的都沒有再找回來，據説是被吳説賤價給買去了。

大約在四十九歲左右，紹興二年五月間，李清照再嫁給張汝舟。李清照到底有沒有再嫁，這是迄今爲止，仍然爭論不休的話題。由於記載李清照再嫁的都是當時宋人記載，有筆記、有書志，也有史記，言之鑿鑿，似

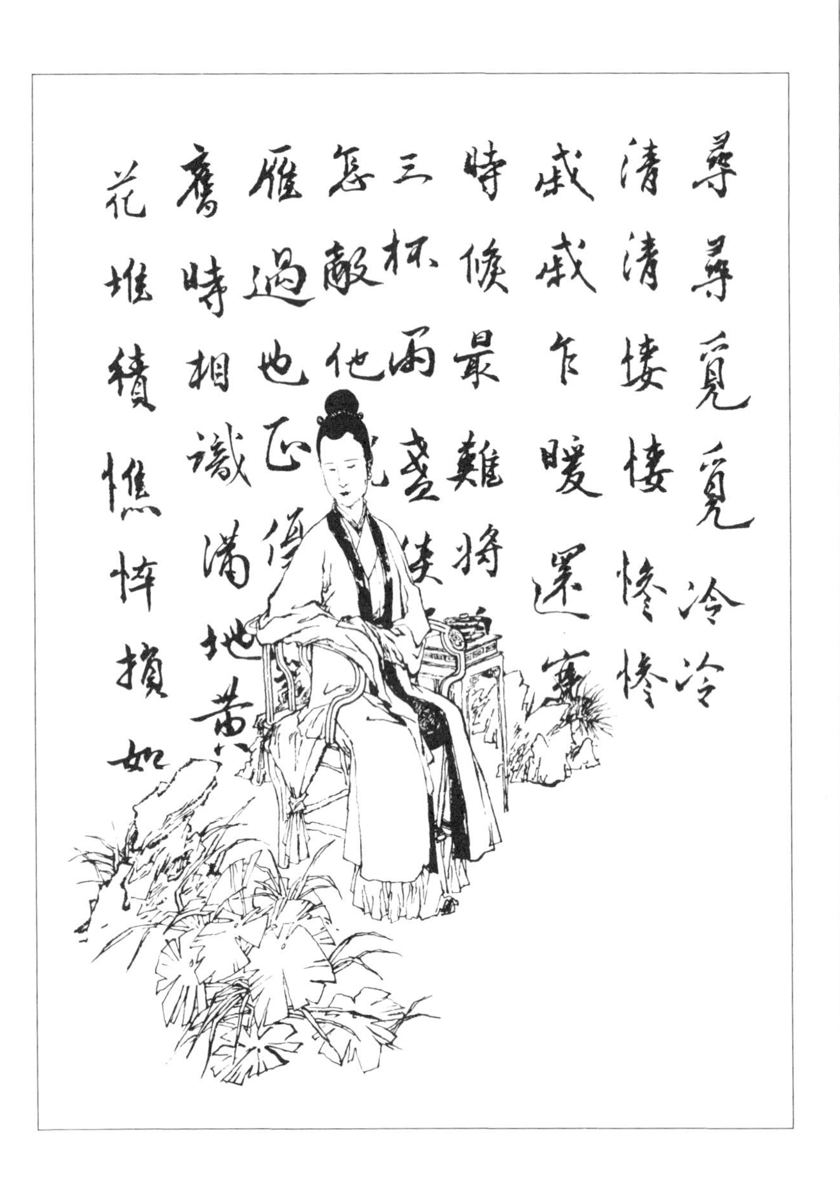
尋尋覓覓冷冷
清清悽悽慘慘
戚戚乍暖還寒
時候最難將
三杯兩盞
怎敵他
雁過也正
舊時相識滿地黃
花堆積憔悴損如

乎很難推翻。她在長期逃難、身心備受煎熬的情況之下，想要再嫁，也不是沒有可能，應該予以同情。

李清照再嫁的夫婿名叫張汝舟，是個無恥小人，他之所以會娶年近半百的寡婦，主要是想謀取她手上的財物。按趙明誠死後，高宗的御醫王繼先，曾經開價黃金三百兩買趙家古董，雖然沒有成交，可見李清照手上有不少值錢字畫。

其後，雖然沿途失散，李清照手頭多多少少仍有一些字畫。張汝舟娶了李清照，東西到手，原形畢露，對她橫加虐待，百般折磨。

李清照原是爲了有個可依靠的晚年，不得已再嫁。婚後即發現上了大當，尤其趙明誠是個脫俗的藝術家，相形之下，張汝舟更是傖俗市儈，李清照不但憤怒，而且覺得噁心。

換了別的女人，也許就忍氣吞聲，委曲求全，自嘆命運不濟。李清照可不，她向來是個敢愛敢恨的女人，寧爲玉碎，不爲瓦全。

當時張汝舟擔任右承奉郎監諸軍審計司，是個標準的貪官汙吏，李清照逮到機會，告他一狀『妄舉增數入官』等於是欺瞞上級，貪汙虛報吃空缺，希望藉這場官司解脫了這樁痛苦的婚姻。

宋代刑法中有一條不合理的規定，妻子控告丈夫不法，即使屬實，也要判妻子兩年徒刑。李清照當然清楚這條律令，但是她還是毅然舉發張汝舟不法行爲。

這件官司的結果是，張汝舟判罪確定，除去官職，流放外地。李清照因爲有個遠房親戚綦崇禮在朝爲官，向宋高宗說情，使得李清照只坐了九天牢獄之災。

宋朝人對於改嫁，並不把它視爲不道德，宋史禮樂志等書中都有記載，范仲淹訂下的義田規制中，更明白規定族女再嫁給錢三十斤一條。范仲淹、賈似道、宋度宗的母親都曾改嫁。

宋朝人是因爲理學家出現，才逐漸強烈提倡婦女貞節觀念，尤其是程頤、程顥兩兄弟，對婦女要求甚嚴。但是宋朝仍允許婦女改嫁，直到明清兩朝才大力倡導守節，也就是到了明清之際，才有人做翻案文章，詳加考證，認爲李清照沒有改嫁，而是人家誣賴的。無論如何，此事對她的人品及藝術評價，沒有絲毫影響。

李清照晚年四處飄零，記載不多，只知她曾在紹興十九年間，攜帶米芾的筆墨，拜訪米友仁，米友仁人稱小米，自謂『懶拙老人』（米芾的故事本書前面說過），小米見到父親大米眞跡，十分愉快，曾寫『易安居士一日攜前人墨跡臨顧……今得數句，可比黃金千兩耳，呵呵！』

李清照是中國文學史上最偉大的女作家，她的詞富於性情與生命的表現，在她的作品之中充分反映早年的歡樂，中年的黯淡，晚年的哀苦，她的每一篇詩詞都是生命與性情的表現。她的心聲正是代表千千萬萬的國破家亡民眾痛苦的精神，讀者若是與本書前面諸北宋末年的故事互相參照，更能體會這一代女詞人的悲痛。

李清照是多才多藝的，她能詩、能文，而且還會作畫，古時文人有不少能畫幾筆蘭草與墨竹，但李清照是眞正能畫，她曾畫過一幅琵琶行圖，到明朝時代還保存著。當然，她最大的成就還在詞上面，她的詞膾炙人口的甚多，例如著名的『聲聲慢』：

尋尋覓覓，冷冷清清，悽悽慘慘戚戚，乍暖還寒時候，最難將息。三杯兩盞淡酒，怎敵他晚來風急。雁過也，正傷心，卻是舊時相識。滿地黃花堆積，憔悴損，如今有誰堪摘？守著窗兒，獨自怎生得黑？梧桐更兼細雨，到黃昏點點滴滴。這次第，怎一個『愁』字了得？

李清照眞是一位國寶級的文學家。

閱讀心得

【第521篇】理學大師朱熹。

朱熹，字元晦，是南宋以來影響中國學術史最大的一位學者。在他生前，名動朝野，在他去世之後，他所著四書集注章句（四書包括論語、孟子、大學、中庸）及詩傳、易義等書，被元朝、明朝、清朝定為國家考試（進士科）的標準內容，於是四書便成為全國人士的必讀書本。

一直到今天我們考大學，國文科目中的論語、孟子，大半也是以朱注為主，所謂朱注，就是朱熹的注解，因此朱熹的思想影響中國知識份子達七百年之久，往後也還要流傳下去。

朱熹的父親名爲朱松，曾中進士第，歷官至司勳吏部郎，因爲反對秦檜的主和政策，秦檜大怒，朱松被免職還鄉。

據說朱松有個朋友，精通風水地理，有一回朱松問道：『我這塊地富貴如何？』

那個朋友端詳了一會兒道：『富也只如此，貴也只如此，生個小孩兒，便是孔夫子。』後來果然造就出一個朱夫子。

朱熹小時候十分聰明，他剛開始學講話的時候，朱松指著天告訴他：『天也。』朱熹立刻反問：『天的上面是什麼？』朱松大爲驚異，直覺認爲這個小孩有腦筋。

朱松教導朱熹孝經，沒多久，朱熹極有心得，並且在孝經上寫了眉批：『不如此，非人也。』完全是小聖人模樣。朱熹與鄰家小孩一塊去沙灘玩耍，他也不戲水，只是一本正經在沙灘上畫圖，大家走近一看才發現，這個小孩竟然在畫八卦。

朱熹十八歲時，舉建州鄉貢，第二年，進士及第。高宗紹興二十一年，他被任命爲泉州同安縣主簿（同安，今福建同安縣）。朱熹治理政事十分認眞，凡是政府規定指派的工作，他都一條一條寫下來，張貼在門楣上，頗有企業管理精神，很像日本豐田汽車廠的『看板』原理，用大招牌指示員工的工作進度。

在同安做了三年之後，朱熹以養親爲名義，請求『祠祿』，所謂祠祿是宋朝特殊的一種制度，政府設立若干道教宮觀，安置一些從政壇退休下來的人員，只拿薪俸，不用到職，朱熹的請求被批准，此後，他就在家裡勤研學問。

紹興三十二年，宋孝宗即位，高宗皇帝在位三十六年，飽經憂患，十分消極，眼見太子賢德，便提早退位，安心當他的太上皇。孝宗即位之初，勵精圖治，追復了岳飛的官職，有一番中興氣象，下詔徵求建言。

此時朱熹在南康興辦白鹿洞書院，提倡講學之風，深獲地方人士好評，既然宋孝宗下詔求直言，朱熹也老實不客氣上了一大篇直言，他在上書中道：『今宰相臺省師傅賓友諫諍之臣，都失其職，而陛下不信先王之大道，專門相信士大夫之中嗜利無恥的人……』並且一針見血的說：『必然有莫大之禍，馬上就要發生，近在朝夕之間，而陛下還不知道哩。』

宋孝宗讀到這裡，氣得臉色發青：『他什麼意思，他把我看成了亡國之君了嗎？』

當時宰相趙雄在旁勸孝宗：『大凡讀書人最好沽名釣譽，而社會一般心理，又最好唱反調，朱熹徒有虛名，陛下如果加以罪責，他的虛名反而更高，不如先給他一官半職，一則收攬人心，再則查他是否有實學。』於是，宋孝宗先任命朱熹為江西常平茶鹽，繼而又任命他為浙東常平茶鹽。

朱熹到了浙東，調查民隱，整肅吏治，又呈請朝廷推行『社倉』。所謂社倉，就是在地方上普遍設立一種糧倉，當饑荒之時，百姓可以向糧倉借米。沒有多久，浙東災荒平息，宋孝宗不得不誇獎朱熹：『政事確有可觀。』

雖然朱熹在政事上有一套，但是他卻不了解官場上官官相護的陋習。

當初朱熹被派往浙東，宰相王淮曾幫朱熹講了話，可是朱熹『不領情』，當浙東臺州知州唐仲友被百姓控告不法，朱熹調查之後，立刻提出彈劾，而唐仲友來頭很大，他與王淮是小同鄉，關係甚為密切。朱熹這種鐵面無私的作法，王淮大為不滿，便慫恿監察御史出頭攻擊朱熹，取締道學。

朱熹心裡坦蕩蕩，既然要做事，就不能害怕得罪人，否則便是鄉愿。朱熹入朝奏事，有好心人勸朱熹說：『正心誠意這套理論，陛下不愛聽，你千萬不要再多說了。』

朱夫子臉一板，正氣凜然的說：『這怎麼可以，我平生所學，就是正心誠意這四個字，豈可隱瞞沉默以欺騙君王？』於是又對孝宗講了一大篇天理人欲的大道理。

回去之後不久，朱熹再度上書，提出整飭國家六大急務。奏章上呈的那天，孝宗已經就寢，聽說朱熹上了表章，急忙披衣而起，秉燭夜讀，讀完之後，發現仍是空疏的理論，呵欠連連，睏得想睡覺。

朱熹所講的理學，本來就不是富國強兵之道，而是希望從學問修養上來挽救人心社會。既然政治上不能發揮所長，朱熹遂努力於講學著述，研究聖賢的經訓，他從三十歲開始著述，以後一直修書不輟，一直到臨終的前三天，仍然在修改大學誠意章。學者尊之爲紫陽先生、晦奄先生，他在中國學術思想上，所發生的影響，可以說是繼孔子、孟子後的第一人。在金門朱子祠中，供奉的便是這位人格俊偉，學術莊嚴的朱夫子。

閱讀心得

【第522篇】

鵝湖之會。

南宋時代，除了朱熹之外，還有一位大理學家，便是陸九淵，學者稱之為象山先生。宋代的理學，糅和了儒、道、佛三家的思想。從唐朝末年，五代之亂以來，道德崩毀，廉恥喪失，宋代學人決心從學問修養上來挽救國家社會，加上當時印刷業發達，書籍廣為流傳，大開講學之風，理學更加易於風行。

和朱熹一般，陸夫子小時候便是個小聖人模樣。當他四歲的時候，一舉一動，端重有若大人一般，遇到不懂的事，必然打破砂鍋問到底，有一天，他忽然問父親：『天地的盡頭在哪裡？』父親笑笑不答，他竟然一個人關在房門裡面苦思了一整天，連飯都不吃。

由於孟子上說『君子遠庖廚』，意思是說，君子與禽獸不相同，見其生不忍見其死，聞其聲不忍食其肉，所以君子遠遠離開廚房。陸九淵自從學了這句話，再也不願意去廚房。

倒是先賢主張修身、齊家、治國、平天下，修身應先自灑掃應對做起，陸九淵常常拿著掃帚，灑掃庭院。他把指甲留得長長的，鞋子雖然穿舊了，卻洗得乾乾淨淨，沒有絲毫破敗處，由於陸九淵常坐在樹下，端坐一整天，大家都說他端莊雍容，是個愛思想的小男生。

鵝湖寺

九歲之時，陸九淵讀到宇宙二字，知道『天地上下謂之宇，古往今來謂之宙』，大感興趣，遂恍然大悟：『宇宙便是吾心，吾心便是宇宙。』十六歲的時候，陸九淵開始讀三國、讀六朝史，又聽長者講述靖康之恥，十分憤慨，於是剪下長長的指甲，開始學習弓馬劍術，慨然有報國之志。

陸九淵生長在一個大家族之中，他的次兄九敘，三兄九皐，四兄九韶都是名重一時的學者，尤其五兄九齡成就更大，當時有盜匪攻擊郡縣，郡府委任他捍衛鄉里，九齡的門人有宋朝重文輕武的觀念，十分不悅，九齡卻認爲『這是男子漢大丈夫應該做的事』，爲地方盡力，不可縮手。他對陸九淵的影響很深，人們合稱之爲『二陸』。

陸九淵的家是個九世同居的大家庭，到了陸九淵這一代，全家上上下下，有千餘人之多，除了一棟兩百年的老屋，只有不到十畝的菜田，生活十分艱難，可想而知，中國古人不懂開源之道，只有努力節流。陸家門風嚴謹，男女各司其職，閨門之內有如朝廷一般有禮法。

據說，每天清晨，各家家長率領子弟，在大廳之中，互相作揖，然後擊鼓三疊，其中一名子弟朗聲高唱：『聽聽聽，勞我以生天理定，若還懶惰必飢寒，莫到飢寒方怨命，虛空自有神明聽。』

稍待一會兒，又繼續接著唱：『聽聽聽，衣食生身天付定，酒食貪多折人壽，經營太甚違天命，定定定。』

陸九淵要治理這麼一個大家族，委實也不容易，所以他曾說：『我們家全族共食，子弟輪流當差，掌理府庫三年，我任了這件事以後，學問因而大進。』

除了讀書之外，陸九淵在少年時代，喜歡看人家下棋，他時常信步逛到臨安市肆，默默的觀看對弈，眞是所謂觀棋不語眞君子。

某日棋工對陸九淵道：『官人日日來看，必是高手，願求教一局。』

陸九淵拱手笑答：『還不到時候。』

過了三天，陸九淵來購買一副棋，帶回家去，掛在牆壁上，整整凝望了兩天，忽然完全了然於心。於是，興沖沖跑去和棋工下一局。

棋工先是暗笑，這小子先不敢下，怎麼現在有膽子來了？不料，連下三局，三局皆輸在陸九淵手下。他站起來對陸九淵說：『我是臨安第一手，凡是與我對弈者，都先討饒讓數子，今日官人下棋反領先於我，你才是天下無敵手也。』

陸九淵認爲整個宇宙充滿了眞理，良心與善性爲人類所固有，所以學問之道，只是讓固有之理顯露出來，他常常告訴學生：『你們耳目已經聰明，事父母自能孝，事兄長自能悌，本來無所欠缺，不必他求，自立而已。』『我雖一字不識，仍是個堂堂正正的人』，他主張不論任何利慾，對於人的本心而言，都是後起的塵埃，只要把塵埃掃除乾淨，本心就能恢復了，本心如果不能打掃乾淨，書讀得愈多，這個人的人品愈壞。陸九淵生平並沒有專門著作，他說：『六經注我，我注六經。六經皆我注脚。』他倒不是要人不讀書，他只是認爲心地上義利之辨更重要。但是朱熹認爲，陸九淵的說法容易陷入懶散，陸九淵又認爲朱熹的治學，過於支離瑣碎，朱陸二人便在淳熙二年在信州（江西省上饒縣）鵝湖寺舉行鵝湖之會，雙方辯論，互不相容，其實他二人並沒有基本上的矛盾，兩人都是重視修身養性，都是發揚儒家仁義之道。

鵝湖之會以後，陸九淵開始在象山講學，象山位於貴溪（在江西省弋陽縣西），原名應天山，原爲道教洞天之一，風景極美，每天清晨，陸九淵乘著轎子到精舍，與學生一起作揖後升上講座，他的口才極佳，自謂『我和別人談，多從血脈上感動他。』他又因材施教，有的教以涵養，有的教以讀書方法，陸九淵本身學養俱佳，即使大熱天，也穿戴整齊、溫文儒雅，許多弟子都覺得陸夫子像個神仙一般，也打心底愛戴他。

陸九淵不像朱子一般拚命著書，所以流傳下來的只有一部『象山先生全集』，但是陸九淵對中國學術思想影響極為深遠，是宋朝的一代大儒。

閱讀心得

【第523篇】

陳亮的胡椒官司。

宋朝理學家朱熹、陸九淵等人講求個人道德修養。當時，卻也有人認爲，國家的苦難似乎並非這些空疏的理論所能挽救。其中，陳亮便以爲理學是百無一用的空虛之學，因而大力提倡實事實功的學問。陳亮的一生充滿戲劇性，值得介紹。

陳亮，字同甫，學者稱之爲龍川先生。陳亮出生於高宗紹興十三年。他一生下來，目光炯炯有神，長大以後，才氣超邁，喜歡和人談論兵事，滔滔不絕，議論風生，拿起筆來，更是一會兒工夫，就可以寫出數千字的大文章，他曾經查考古人用兵成敗，寫了一篇『酌古論』。

地方郡守周葵看到酌古論，萬分欣賞，特地找陳亮來討論，並且對人家說：『陳亮他日必爲國士。』奉之爲上賓。後來周葵調任參政，凡事必請教陳亮的意見，於是陳亮更得以結交天下豪俊之士。

孝宗淳熙五年，陳亮上書皇帝，提出了幾點有遠見的建議。

——中國原是天地之正氣，天命之所鍾也。可是自從中原淪入魔掌，同胞都受到異族蹂躪，徽欽二帝被敵人所俘虜，這是漢唐盛世後從沒有發生過的事。

——現在國家與金人訂立和約，互不侵犯，以爲天下無事，粉飾太平，

這是很危險的。

——本朝有鑑於以前藩鎮擁兵自雄，太注重文事，事權過於分散，兵財集中於上，運用不夠靈活，因此國力衰弱。

——南渡以後，士大夫耽於眼前逸樂，紛紛修治園林臺榭，遊宴自娛，沒有一點兒復興跡象，如何能夠復國建國？

——本朝儒士，崇尚性命之學，蔚爲風氣，搖頭擺尾、高談闊論，自以爲只要正心誠意，就可以解決一切困難，大聲嚷嚷正心誠意，哪兒能夠富國強兵？

孝宗皇帝本來就不耐煩朱夫子那一套，見了陳亮上書，萬分感動，想要把這個奏章掛在朝堂，策勉群臣，並且準備重用陳亮。

當時左右大臣還不明瞭孝宗之意，只有心思剔透的曾覿知道了，他立刻派人去找陳亮，誰知道陳亮看不起曾覿的爲人，竟然跳牆跑了，曾覿發現陳亮如此不給他面子，十分的惱怒，許多大臣看了陳亮的上書，對陳亮直言無隱，也老大不開心，接二連三在孝宗面前說他的壞話，迫使孝宗只好改變原意，命令宰相去找陳亮談談，看陳亮還有什麼意見。

過了不久，陳亮再度上書，希望朝廷能夠一改迂腐顢頇、暮氣沉沉的作風。孝宗認爲陳亮確實有才氣，想要給他官做，他卻拒絕了：

『我的本意是爲國家社稷開數百年的基業，不是希望用這種方法求取官位。』

於是，陳亮渡江回家，經常與放蕩不羈的朋友喝酒狂歡，喝醉了酒之後，率言批評政治，有時不免連皇帝也罵在內，便有多事者向官府打小報告。

恰好刑部侍郎何澹，過去擔任考試官的時候，因爲沒有錄取陳亮，陳亮曾經講過不少的難聽話，何澹想起來，心裡就不痛快，這會兒看到有人檢舉陳亮的案子，大喜過望，正好來一個公報私仇。

陳亮在獄中被打得死去活來，體無完膚，熬不住酷刑的折磨，只好承認自己確有叛逆的陰謀。這件事傳到孝宗的耳朵裡，他知道陳亮忠心國家，喜歡批評，便失聲笑道：『窮酸秀才多喝了兩杯酒胡說八道，哪兒有什麼罪？』於是陳亮遂被放出監獄。

他方才灰頭土臉回到家中，又惹上一件官司：

原來陳亮家中有一個家僮殺了人，而死者曾經當面侮辱陳亮的父親陳次尹，死者的家屬一口怨氣沒法子出，遂含血噴人說，這一定是陳亮主謀，陳亮又莫名其妙牽入死刑案之中，幸而辛棄疾等人竭力營救，才把此事化解。

陳亮一連兩回出入監獄，坐了牢，挨了揍，十分冤枉，心灰意懶之餘，更加埋首讀書，勵志向學，學問也就更加淵博。

乾道七年，陳亮又再度上書，希望孝宗皇帝在高宗去世之後，積極反攻。可惜孝宗是個十足的孝子，高宗去世之後，孝宗萬念俱灰，日夜流淚，守了三年孝，並且在高宗去世後的第三年，傳位給光宗，並且下諭：『孝莫大於執喪，朕將退休矣。』

陳亮的上書沒有效果，可是他的直言，卻引起朝廷中苟安大臣的不滿，視陳亮爲討厭的怪人、狂人。

其後，運氣不佳的陳亮居然又吃上一件官司：

按婺州地方的口味是酷愛胡椒粉，每盤菜裡都要撒上許多，當地人吃得又香又辣十分過癮，外地人卻吃不消。有一回陳亮請人吃飯，席上有嘉賓，特別多擱胡椒粉，誰知他回去就暴死了，死前留下遺言：『可能是陳亮在菜裡放了毒藥。』陳亮又第三度被關入大牢。

案子送到大理院，大家都認爲陳亮這一次是劫數難逃，八成是死定了，大理寺少卿鄭汝諧調閱案件，看到陳亮寫的自訴狀，大爲驚異道：『這人是國家奇才，國家若是無罪而殺才士，上干天怒，下傷國脈。』特地把他推薦給光宗，後來光宗皇帝殿試進士，陳亮取了第一，可惜卻在赴任之前一天暴斃而死。

陳亮才氣洋溢，卻一輩子不得志，一連惹上三件官司，卻始終不改報効國家的熱情，算得上是一個標準的中國書生。

閱讀心得

【第524篇】

呂祖謙著東萊博議。

國中生或高中生在準備聯考之時，國文老師通常會教學生們讀一些《作文指南》、《作文範本》，希望同學們能夠精讀好文章，領略作文的奧妙、爭取作文高分。在中國古代，也有類似的範本。其中《東萊博議》這本書，流傳七百多年，成為科舉制度的寵兒。這一篇的歷史故事，我們就來介紹《東萊博議》的作者——呂祖謙。

呂祖謙家學淵源，他的祖先可以追溯到後唐戶部侍郎呂夢奇。宋真宗時，呂氏出現一位宰相呂蒙正，呂蒙正的姪子呂夷簡更是宋仁宗時代的名相。

呂夷簡的學問道德都很好，爲人處世一板一眼，連每天上朝，出入進退都是一步也不差。有一回上朝竟然忘記了禮儀，只拜了一拜便站起來了，下朝之後，惱怒萬分，外界更紛紛傳言，呂相失儀，怕是老天爺奪走了他的魂魄。過了十四天，呂夷簡果然中風，一病不起。這倒不是證明呂夷簡的確中了邪，而是表示如果不是因爲健康出了問題，他怎會有失禮之處。

呂夷簡有四個兒子，個個器宇不凡，在小時候便流露出大家風範，不一樣的氣質，四個兒子分別是公弼、公著、公奭、公孺。某日，呂夷簡對他的夫人說：『我們四個兒子，他日都會顯重一時，但不知其中誰會當上

宰相，我不妨做一個小小的試驗。』

於是，呂夷簡便差了丫鬟拿了四件瓷器，分別在四個小男孩回家之時，故意不小心在門檻前跌跤，摔破瓷器，然後觀看他們的反應。

其中，老大、老三、老四都是相同的反應，當他們發現丫鬟不小心摔破瓷器，立刻『哇』的一聲，奔到媽媽房間告狀：『不得了啦，古董花瓶打破了！』只有老二公著，冷冷看了一眼，默默回到書房中用功，完全泰山崩於前而不改色的冷面孔。

宋儒最講究喜怒不見於神色，呂夷簡見公著的沉著，十分歡喜道：『他日必可爲相。』後來呂公著果然當了宰相，在宋哲宗時代，與司馬光同朝輔政，兩個守舊派的老古板性情相投，反對王安石新法。

呂公著算是呂祖謙的五世祖，到了四世祖呂希哲，曾經向邵雍、孫復等大儒問學，不只是拜一位老師，可以說是集思廣益，無形中開啓了呂氏家學的風範，呂希哲晚年又好佛，修養更佳，不過，有時不免顯得太迂一些。

有一回，呂希哲坐轎子經過斷橋（中國人喜歡坐轎子，大概是自宋朝開始，雖然魏晉南北朝已有轎子，隋唐時代，只有病人才坐轎子，連女人多半是騎馬或乘馬車的，宋人習慣坐轎子，不曉得是否與宋人文弱有關係），人與轎子都落入河中。

行人七手八脚下去搭救，結果發現轎夫已經溺死了，呂老夫子卻好端端坐在轎子裡，既不爬出來逃命，也不高聲呼叫，假如沒人來搶救，他老先生八成就死在轎子裡了。眾人見他一臉神聖不可侵犯的表情，不顧及水已浸漫半身的危險，又好氣又好笑，他修身養性未免有點兒走火入魔過了頭。

呂希哲每日白天遍考諸儒對易經的說法，晚上就和子孫們評論商榷，樂在其中，因此他的兒孫都能繼承衣缽。

呂祖謙在這麼一個家庭之中長大，前輩們都是飽讀詩書，不苟言笑的道學先生，因此，在他很小的時候，他已經是一個小學究了。

據說，呂祖謙在少年時代，個性比較急躁。後來，讀到論語裡有一句話：『躬自厚而薄責於人，則怨遠矣。』這句話的意思是說，一個人嚴格的責備自己的錯誤，寬大的原諒別人的錯誤，那麼便很少遭致怨恨了。呂祖謙細細揣摩其中道理，悟出了人生許多哲學，從此他急躁的個性完全改變了，他在宋朝的理學家之中，也是比較心平氣和的一位。

呂祖謙承祖上餘蔭，十二歲就補了一個『將士郎』的頭銜，孝宗隆興元年，他中禮部考試，賜進士及第，又中博學宏辭科，但是，他最主要的興趣卻不在作官，而在教學、做學問上面。

三十歲那年，呂祖謙母親過世，他在金華武義的明招山守喪，開始教學生，設立學規，這便是現在還流傳的『乾道四年九月規約』，規約相當嚴格，譬如入學以後，如偶犯過失，經同學規勸無效，改用責備仍然無效，即開除學籍，又如生活規條之中記載，學生對從前受教過的師長，每年要拜訪，在路上相遇，仍要以師長的禮節來事奉。

乾道八年，呂祖謙擔任省試考官，他平日喜歡讀陸九淵的文章，卻不曾相識，等到他批改卷子時，忽然眼睛一亮，笑著說：『這篇寫得眞好，一定是小陸所寫。』拆掉彌封之後，果然是陸九淵所寫，大家都佩服呂祖謙的眼力。

呂祖謙與朱熹也有一段淵源，他曾親自到武夷寒泉精舍拜訪朱夫子，停留十多日，他們同讀周、程、張子書，一起編輯了《近思錄》。

由於呂祖謙和朱熹、陸九淵是好友，不忍見他們兩人鬧意見，所以從中安排了一場學術研討會，就是前面我們說的『鵝湖之會』，吃力不討好，雙方各執己見，不過鵝湖之會爲朱陸之學理出一個異同，也是學術史上一段佳話。

呂祖謙在教學時，發現學生最感興趣之事仍在應考，因此，他寫了一本《東萊博議》（他曾經隱居東萊，故人們稱之爲東萊先生），讓學子誦讀，這本書共有八十六篇議論文，都是根據左傳一書發表的議論，體例嚴謹，篇篇都有章法，有人說，讀左傳而不讀東萊博議，等於是烹飪佳肴而不放調味品，淡而無味。東萊博議這本書有許多白話譯本，讀者不妨翻翻看，開開眼界。

閱讀心得

【第525篇】孝子趙善應。

道學即理學，理學的思想始於北宋，宋朝許多讀書人，一方面受到理學的涵養，一方面受到書院教育的薰陶，生活相當嚴肅，眞正能夠做到非禮勿視、非禮勿聽的地步。

根據宋元學案裡記載，有一次陸九淵與學生們一塊吃飯，看到一個學生『飯次交足』，兩隻脚交疊在一起，沒有正襟危坐，十分不開心。吃完飯以後，他把這個學生叫到跟前，瞪著眼睛對學生說：『你剛才犯了過錯，你知道嗎？』
那個學生嚇得滿頭大汗，連連回答：『學生已經反省了。』
宋元學案之中又記載理學家尹彥明，他一個人住在又破又小的房間裡，可是拱手斂足，一舉一動，都有一定的分寸。他有一把舊的紙扇子，已經用了許多年了，每次用完，一定放在原來的案頭，半絲毫釐都不差，一位和尚看到尹彥明如此一本正經的模樣，忍不住嘆息：『我不知道儒家孔子是怎樣，恐怕也不過如此吧！』
理學家嚴格的禮教規範，由讀書人士大夫影響到一般民間，所以宋朝的忠臣志士與義夫節婦，史不絕書。但是在朝廷廟堂之上，道學卻是有盛有衰，甚且演變到道學與假道學之爭。

在北宋時代，程頤、程顥、張載等人提倡理學，道德文章，名重一時，卻受到奸臣蔡京的排擠。到了高宗南渡以後，爲了要振奮人心，曾經一度褒揚聖人之學，追贈程頤爲直龍圖閣學士。

可是，到了紹興六年，左司諫陳公輔上書，請求禁止程氏之學，他的理由是：『現在的人崇尚程頤之說，謂之伊川之言，大言不慚謂堯舜文武之道傳之孔子，孔子傳給孟子，孟子傳給程頤，程頤以後就失傳了。許多人狂言怪語，胡說八道，然後說，這是伊川先生講的，或者穿著長衣大袖，高視闊步，目空一切，然後說，這是伊川先生的樣子。一個人要學伊川先生之文，行伊川先生之行，這還像話嗎？因此我主張禁止。』

當時宋高宗認爲陳公輔講得有理，滿街都是仿冒的伊川先生不是辨法。於是，下了一個詔令：『天下士大夫之學，以孔孟為師就夠了。』意思是說，用不著在孔孟以外，再推出程頤為標榜，這是宋朝最早的道學之爭。

過了一年，胡安國上書，為伊川之學辯護，他說：『孔孟之學不傳久矣，多賴程氏兄弟發揚光大，如果現在學孔孟而不習程頤之學，就好像一個人要進到房間裡卻不由大門入。』

接著，朱熹崛起，屢次上書表達意見，許多道學家群起附和。到了寧宗時代，用趙汝愚為相，趙汝愚極有人望，形象很好，趙汝愚再三舉薦朱熹，寧宗便召見朱熹，任命他為煥章閣待制兼侍講。

趙汝愚是宋朝有名的孝子，他的父親趙善應更是以孝順著名，我們在此打個岔，說一說趙善應的故事。

趙善應，字彥遠，官至江西兵馬都監，性情純孝，父親生病時，曾經在手臂上刺了一個洞，用鮮血和藥侍奉父親。

他的母親膽子極小，聽到打雷就會全身顫慄，臉色發白，好像要昏過去似的。趙善應在很小的時候就會保護媽媽，每次聽到打雷，立刻走向趙母身旁，安慰她，叫她不要怕。

即使是三更半夜，聽到雷鳴，他也會馬上披衣，趕到母親房間裡去當保鏢。

由於趙母受不得一點兒驚嚇，有個冬天夜晚，趙善應自遠方夜歸，侍從正準備叩門，他立刻喝止道：『不許敲門，免得嚇著了母親大人。』

但不叩門進不去怎麼辦？他竟然就一屁股坐在門口，忍著刺骨寒風，坐了一整夜，而侍從也只好捨命陪公子，陪著在門檻旁邊熬了一個晚上。

趙善應小時候，家中十分清苦，凡是弟弟們沒有製新衣，他一定不肯製新衣，新衣服做好以後，如果弟弟們沒有穿，他也絕對不肯穿，即使是一個小小瓜果，也必然與弟弟們分著吃。

趙母過世以後，他哭得血都嘔了出來，整日在靈柩旁流淚，一直過了許久，看到閃電，聽到打雷，他都會急忙衝到母親房間裡，趕著照顧母親。看到偌大的空房，才想起母親不在人世。

因爲趙母屬兔，趙善應終生不食兔肉。又因爲趙父是生肺病死的，他也從不食豬肺、牛肺。他不但對父母心存孝思，即使聽說四方水災、旱災，也是憂形於色，幾天都吃不下飯，同僚舉行宴會，衆人開懷暢飲，他一個人惆悵的說：『這哪兒是諸君喝酒行樂的時候？』在道路旁邊，見到病人，趙善應會親自爲陌生病人煮藥，遇到饑荒，趙善應會率領家人每天只吃半飽，然後賙濟災民。

當然，以現代人的觀點來看，趙善應有些作法不能讓人接受，譬如說，他的老朋友過世了，故人孤女，貧苦無依，他便聘娶爲兒媳，譬如說，爲了害怕驚騷幼蟲，他竟然夏天不除草，冬天不翻壤。

無論如何，陸九淵、尹彥明、趙善應等人都是心口如一，切實遵守道德規範的道學家。現在有人罵道學先生，總是說：『這些人滿嘴仁義道德，滿肚子男盜女娼。』那是因爲他們沒有看到眞正高風亮節的道學家，世界上當然還是有眞君子的。

閱讀心得

【第526篇】朱熹請吃便飯。

宋寧宗即位，接受宰相趙汝愚的建議，任命朱熹爲煥章閣待制兼侍講，（侍講是官名，任務是侍奉帝王，爲帝王講授經書。）朱熹當了侍講之後，每每陳說『正心誠意』的大道理，寧宗聽了十分厭煩。

此時正是奸臣韓侂胄當權，一手遮天，朱熹當仁不讓上奏寧宗：『中外人士都言陛下左右竊其柄，臣恐怕人主的威勢下移。』另一道學家彭龜年更直截了當攻擊韓侂胄『假託聲勢，竊弄威福，不去必爲後患。』

寧宗相當寵信韓侂胄，看了上奏，非常不開心，他憤憤的說：『侂胄是朕的肺腑，我對他信而不疑，他哪裡會如此不堪？』

韓侂胄當然也聽說了這件事，他表面上不動聲色，暗地裡施了一招毒計：他找來一些優伶，戴上高帽子，穿上長袍大袖的儒衣，演出一場狂笑大鬧劇。

其中最惹人發笑的一角，是韓侂胄找了個寶貝蛋演朱熹，他的穿戴打扮，一舉一動都像極了朱熹，尤其是一本正經的，搖頭晃腦的唸著『誠意、正心……』大家都笑翻了，尤其是宋寧宗笑得眼淚都流了出來。

經過這幕鬧劇，寧宗對道學家的印象更壞了，韓侂胄乘機在旁邊建言『朱熹迂闊怎能用』。

於是，醜化道學家計策成功，朱熹被趕出了朝廷。接著，韓侂胄下一個目標是趙汝愚。

趙汝愚是一個標準的中國書生，渾身上下簡直挑不出半點毛病，結果竟然以趙汝愚姓趙，宋朝正好是趙家天下，『易於自立爲王，造反叛變』爲名，硬是把他趕出了朝廷。宋朝人所寫的《四朝聞見錄》中說他離開的那一天，天上下著血雨，京城人紛紛用臉盆來貯存，這當然是誇大其辭，不過，當時的確引起許多人，尤其是太學生的強烈不滿。

宋朝的太學生以名德互相標榜，自負爲清流，且有濃厚的歷史責任感，北宋時代的太學生曾經屢次伏闕上書，指責時政，例如陳東（本書前面講過陳東的故事），南宋時代，國家對太學生更加禮遇，太學生也更成爲天之驕子，自從韓侂胄逐朱熹，貶趙汝愚消息傳出，太學生楊宏中、周端朝、張道、林仲麟、蔣傅、徐範等人上書，爲趙汝愚等鳴冤，他們的措辭相當激烈：『我們深恐君子道消、小人道長，靖康之恥又要再度上演……』

韓侂胄看了上書，氣得臉色發白，宋寧宗也是龍顏大怒，認爲這幾個年輕小伙子太張狂了，因此下詔將楊宏中等六人發配五百里外編管，歷史上稱之爲『六君子』。

當時社會上固然大都同情道學，也有一些人鄙視道學，原來讀書人難免良莠不齊，有若干淺陋之人，自稱自己是個道學家，平日褒衣博帶，危坐闊步，一副瞧不起人的死樣子，或是經常閉目闔眼，自稱爲默識頓悟，其實完全是個草包，根本沒有學問。

於是，韓侂冑之黨便建議他，道學兩個字實在不是一件壞事，不適合入人於罪，而是應該攻擊那以道學爲標榜的僞君子，當稱之爲『假道學』。從此，道學又有眞僞之別，這個問題愈演愈複雜。

那麼，誰可以做『假道學』的代表人物呢？說來也荒唐，韓侂冑的黨羽竟然選了最負衆望的朱熹，尤其是太常少卿胡紘對朱熹的攻擊最厲。

朱熹與胡紘到底怎麼結的怨，講起來十分可笑！

想當初胡紘赴建安拜會朱熹，對朱熹十分尊敬，朱熹看來也很高興的樣子，留他便餐，胡紘也答應了。

中國人愛客氣，口頭上的便餐，其實往往是豐盛的山珍海味，誰知道朱老夫子的便餐竟然就是便餐，胡紘等了半天，朱熹弟子捧來一碗脫粟飯，粟是小米，想來是小米稀飯之類的，也沒有其他菜肴，朱熹與弟子們便正襟危坐吃了起來，胡紘當場不便發作，只有忍著氣吃完脫粟飯。

回去以後，胡紘卻是大爲光火，他憤憤的對朋友說：『這完全不通人情嘛，也用不著什麼大菜，一隻雞，一斗酒，山裡面也不會就沒有，朱熹未免太看不起人！』

其實，胡紘倒是錯怪了朱老夫子，他一向自奉簡約，從來與弟子們都吃脫粟飯，只能說胡紘不懂朱熹『賓至如歸』的觀念。

胡紘這個人實在夠小氣，就爲了一頓飯沒吃好，竟然大張旗鼓，與御史沈繼祖兩個人，合作寫了一篇文章，說朱熹是『剽竊張載、程頤的學說，再加上吃菜事魔的妖術，召集四方無行無義之徒，欺世盜名，如鬼如魅。』

把朱熹當成了妖孽，甚且要求問斬朱熹。

寧宗本來就討厭朱熹，看了胡紘上書之後，便把朱熹這個『妖孽』的修撰之職褫奪，並且將其門徒蔡元定流放道州。慶元三年，朝廷公佈朱熹等五十九人爲『僞學之黨』，這個情形很像北宋時代的黨人碑。

朱熹畢竟是個有修養的讀書人，他志不在求官，心裡坦蕩蕩，照舊在讀書，也依然與諸生講學不休，經過了這次打擊，他在社會上的清望反而更高。慶元六年，朱熹病卒，四方生徒，聚集在信州，尊奉朱熹爲聖賢，並且有呂祖泰上書，請求誅韓侂胄以謝天下。

這時韓侂胄也領教了朱熹的厲害，朱熹衆望所歸，不是能夠輕易打倒的，於是稍開黨禁，但是已在民間種下了積怨。

閱讀心得

【第527篇】

皇位繼承人的測試。

宋朝高宗、孝宗、光宗三朝都是內禪，這是歷史上少見的事。所謂的內禪，指的是帝王仍然在世，卻傳位給子弟。

當年宋太宗趙光義，不傳弟而傳子，據說是違背了所謂『金匱之盟』，成爲宋史上一大疑案（這段故事本書前面講過）。從眞宗到高宗，這其中八代都是太宗的後代，反倒是宋朝開國皇帝趙匡胤的後裔，居然一直沒有機會登上天子寶座，朝廷內外許多人都爲此抱不平。

宋高宗南渡以後，元懿太子早夭，儲位久懸，高宗便決定在太祖後代之中，挑選一位繼承皇位，也就是要在『伯』字輩中選出一位天子。於是，高宗下詔訪求伯字輩七歲以下的小男孩，入宮備選。初步先是挑了十個人，品頭論足如選美一般，在入圍者之中又找出了兩個特別伶俐的，其中一個是面圓圓的胖小孩，另一個則是較爲清癯的瘦小孩。

中國古人都喜歡肥肥胖胖有福氣的，因此胖小孩就被選上，瘦小孩領了三百兩銀子準備走了。高宗見瘦小孩鞠躬告退時，彬彬有禮，斯文可愛極了，實在難以抉擇，所以又重新端詳一番。

『你們兩個叉手站好！』高宗下達命令。

這時，一隻貓咪經過，小胖子站了許久，早已無聊，看到貓咪，忍不

住起了捉弄念頭，用脚不斷的踩小貓，貓咪疼得嗚嗚叫，胖小孩又乘勢踹了貓屁股一脚，臉上露出惡作劇的表情。

高宗看在眼裡，大不以為然道：『小貓偶爾走過，又沒有礙到你，為什麼要去踩牠？這樣子隨隨便便，怎能擔負國家的重任？』胖小孩挨了罵，低著頭不敢開口，心裡頭很委屈。他還小，不懂當皇帝有什麼吸引人，不過，這一踢貓，倒把天子的寶座給踢走了。

胖小孩對動物缺乏愛心，不夠穩重，顯然是家教不良。相形之下，瘦小孩一派斯文，更表露出不凡氣質，所以，反倒被留養在宮裡，當時他只有六歲。

這個有禮貌的小男生，正是日後的宋孝宗。雖然『面試』成績優異，他長大之後，能夠脫穎而出，還是經過一番激烈的角逐。他的對手是恩平郡王，和他一樣功課優異，一舉一動都有大家風範。

大臣史浩見高宗難以取捨，便建議各賜給宮女十人，試一試兩個年輕人的定力如何。過了幾天一打聽，恩平郡王整日泡在美女堆裡樂陶陶，孝宗則如老僧入定，完全不睬宮女挑逗。當然，孝宗順利的被立爲太子了。

孝宗雖然不是高宗的親生兒子，卻比親生兒子還要孝順，父子感情極佳，高宗眼見兒子賢德，自己又倦於政事，想要休息了，便決意提早退位。孝宗一再懇辭，高宗一再慰勉。最後，搬入了德壽宮當了太上皇。

太上皇赴德壽宮的當天，大雨傾盆，孝宗爲了表示孝敬，硬是披了龍袍，冒著風雨，親自攙扶著龍輦到了宮門口，高宗望著落湯雞般的兒子，又愛又憐道：『付託得人，我沒有絲毫遺憾了。』

高宗內禪之後，又活了二十四年，到淳熙十四年才過世，度了一段悠遊愉快的退休生涯。這段期間，孝順的宋孝宗仍不時前來請安。

高宗過世，對孝宗而言是一莫大的打擊。因此，在百日過後，他仍然每天吃素，加上哭得太傷心，元氣虧損，瘦成一把骨頭。吳夫人看不過去，偷偷叮囑御膳房用雞熬了湯烹調食物，一方面增加菜肴的鮮美，一方面也給孝宗補些營養。

中國人吃素本來就是爲了刻苦自己，表示虔敬之心，很少人眞正喜歡吃素，孝宗是皇帝口味自然刁，他一入口，馬上發現今天的蔬菜特別香，立刻『呸』的一聲全吐了出來，氣沖沖的大發脾氣，內侍嚇壞了，趕緊全盤托出。如果不是皇太后勸了又勸，吳夫人的腦袋準搬家了，最後當然是被攆出宮了。

孝宗爲高宗苦苦守了三年孝，在高宗去世後第三年，他也學著老子的模樣，不再當皇帝了，提早把帝位傳給了太子光宗。也想過一段愜意的太上皇生活。

但是孝宗顯然沒有高宗的福氣，光宗一點也不孝順，娶了李后之後，更是忤逆。李后是慶遠節度使李道之女，李道原是強盜出身，李后身上流著強悍的血液，跋扈剛烈，光宗怕她怕到生了心臟病。

李后又喜歡挑撥離間，使得光宗與父親孝宗日漸不合，起了猜疑，因此生理上的心臟病，加上心理上的心病，使得光宗遠遠避開了孝宗住的北宮。孝宗自忖自己是個最孝順的兒子，竟然養出如此不孝之子，過了沒多久一氣病死了。

光宗因爲身體虛弱，孝宗去世之後葬禮之中竟不能執孝子禮，朝廷上下看在眼中都十分憂心，他也就這麼病歪歪的撐了五年，隨時都會有駕崩的危險。

趙汝愚很擔心朝政中空，會造成國家動盪，因而與韓侂胄合謀，請太皇太后出面，引嘉王入宮，請光宗內禪，是爲寧宗。

由於有這一連串的巧合，所以宋朝出現了高宗、孝宗、光宗三朝內禪的現象。中國古代皇帝具有至高無上的權威，一旦當了天子，很少捨得讓位，因此這是一個相當難得見到的事例。

閱讀心得

閱讀心得

歷代・西元對照表

朝　　代	起迄時間
五帝	西元前2698年～西元前2184年
夏	西元前2183年～西元前1752年
商	西元前1751年～西元前1123年
西周	西元前1122年～西元前 771年
春秋戰國(東周)	西元前 770年～西元前 222年
秦	西元前 221年～西元前 207年
西漢	西元前 206年～西元 8年
新	西元 9年～西元 24年
東漢	西元 25年～西元 219年
魏(三國)	西元 220年～西元 264元
晉	西元 265年～西元 419年
南北朝	西元 420年～西元 588年
隋	西元 589年～西元 617年
唐	西元 618年～西元 906年
五代	西元 907年～西元 959年
北宋	西元 960年～西元 1126年
南宋	西元 1127年～西元 1276年
元	西元 1277年～西元 1367年
明	西元 1368年～西元 1643年
清	西元 1644年～西元 1911年
中華民國	西元 1912年

國家圖書館出版品預行編目資料

全新吳姐姐講歷史故事. 23. 南宋/吳涵碧 著.
--初版.--臺北市；皇冠，1995〔民84〕
面；公分（皇冠叢書；第2489種）
ISBN 978-957-33-1233-8 （平裝）
1. 中國歷史

610.9 84007239

皇冠叢書第2489種
第二十三集【南宋】

全新吳姐姐講歷史故事〔注音本〕

作　　者—吳涵碧
繪　　圖—劉建志
發 行 人—平雲
出版發行—皇冠文化出版有限公司
台北市敦化北路120巷50號
電話◎02-27168888
郵撥帳號◎15261516號
皇冠出版社(香港)有限公司
香港銅鑼灣道180號百樂商業中心
19字樓1903室
電話◎2529-1778　傳真◎2527-0904
印　　務—林佳燕
校　　對—皇冠校對組
著作完成日期—1992年01月01日
香港發行日期—1995年09月25日
初版一刷日期—1995年10月01日
初版二十九刷日期—2021年05月
法律顧問—王惠光律師

讀者服務傳真專線◎02-27150507
電腦編號◎350023
ISBN◎978-957-33-1233-8
Printed in Taiwan
本書定價◎新台幣150元/港幣45元